JN114524

ビジュアル完全版

やってはいけない勉強法

凡人が天才に変わる127のテクニック

TAKASHI ISHII
石井貴士

きずな出版

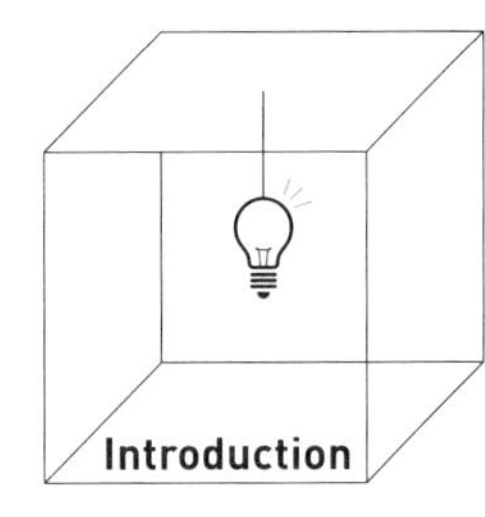

Introduction はじめに

正しい勉強法の前に「やってはいけない勉強法」を学ぶべき理由

「親指を描きたいなら、親指を描こうとしてはいけません。親指を描くなら、親指のまわりの空間を描きなさい」(ベティ・エドワーズ)という有名な言葉があります。

勉強法も、同じことが言えます。

「いきなり正しい勉強法を知ろうとしてはいけません。正しい勉強法を知りたいのであれば、〝やってはいけない勉強法〟をやらないようにしなさい」

多くの人は勉強法に詳(くわ)しくなるほど、「勉強法は人それぞれだ。これだけが正しいという勉強法なんて存在しないんだ」という、もっともらしい結論を導き出してしまいます。

違います。

勉強法には正解があります。正しい勉強法をすれば革命的に成績が上がります。

勉強よりも「勉強法」が先だ

正しい勉強法に必要なことは**「まず、やってはいけない勉強法を知ること」**です。

「もし8時間、木を切る時間を与えられたら、そのうち6時間を、私は斧(おの)を研ぐのに使うだ

ろう」(エイブラハム・リンカーン)

という言葉があります。

多くの人はいきなり参考書を開いて勉強します。それが間違った勉強法です。

①まず正しい勉強法をマスターする

②勉強する

このツーステップで、最速で成績は上がります。たとえば東京から北海道に行こうとしたときに、

①どうやって行くのが、一番安くて速いのかを調べる

②チケットを取って、北海道まで行く

というのが一番いい方法です。「何も考えずに北海道の方角へ歩き出す」人はいません。にもかかわらず、勉強では、多くの人が「いきなり問題集を解く」「いきなり教科書を開く」からスタートしています。だから、成績が上がらないのです。

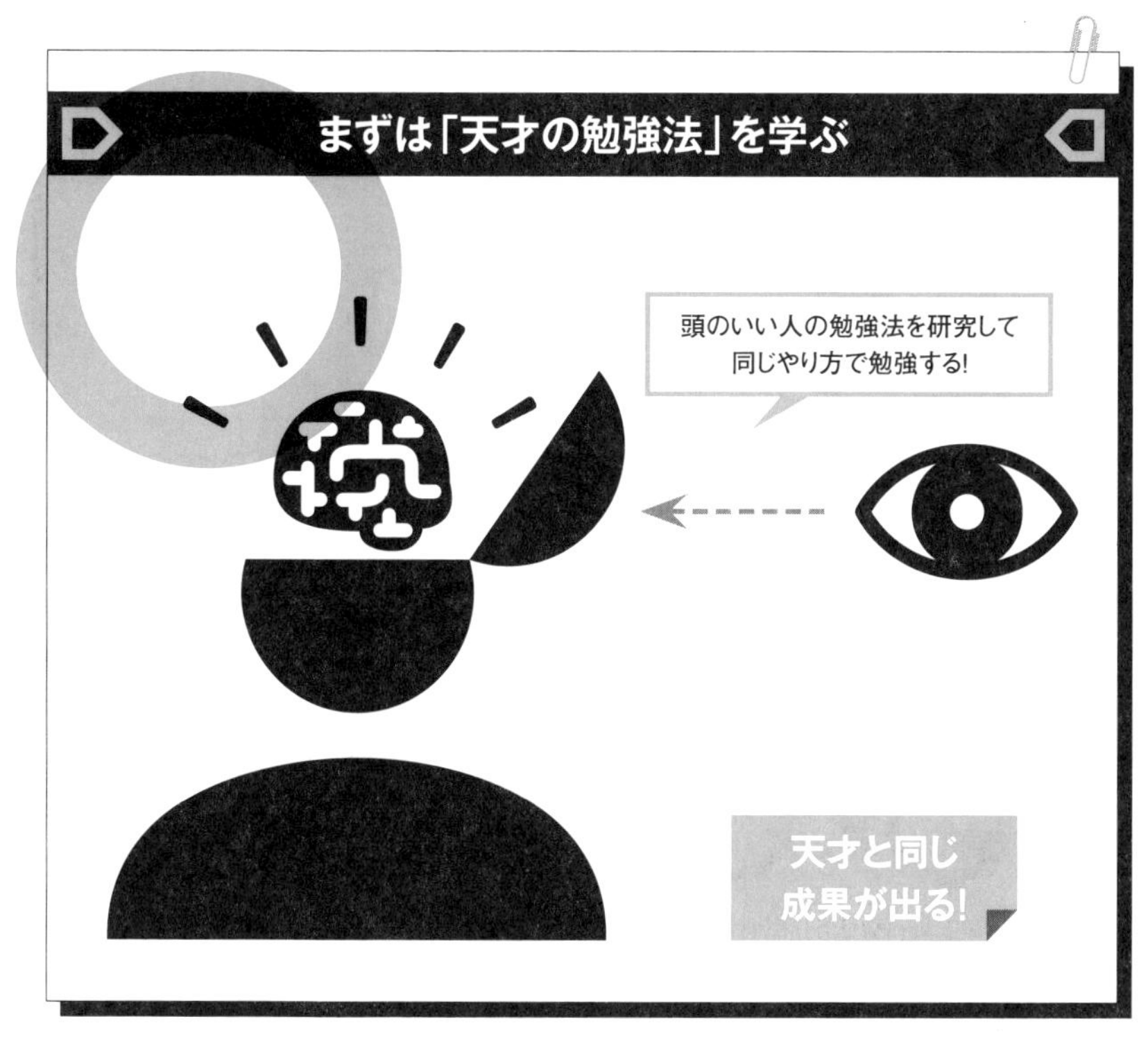

天才と同じ勉強法をしよう

「努力が大切だ。努力をすれば天才になれるんだ」と、多くの人が考えています。

違います。

言い方が悪いことは承知で、いつも私はこう言います。

「バカのまま努力をしても、結局はバカのままである」と。

小・中学校のときを思い出してください。

「この人は天才だな」という友人は、たいした努力もせずに成績は上位だったはずです。

「頭のいい人の勉強法を研究して、同じやり方をすれば同じ結果が出るはずだ」

と考えるのが、健全な考え方です。

天才と同じ勉強法をすれば、あなたも天才と同じ結果が出るというだけなのです。

多くの人は、いまの自分を変えようとしま

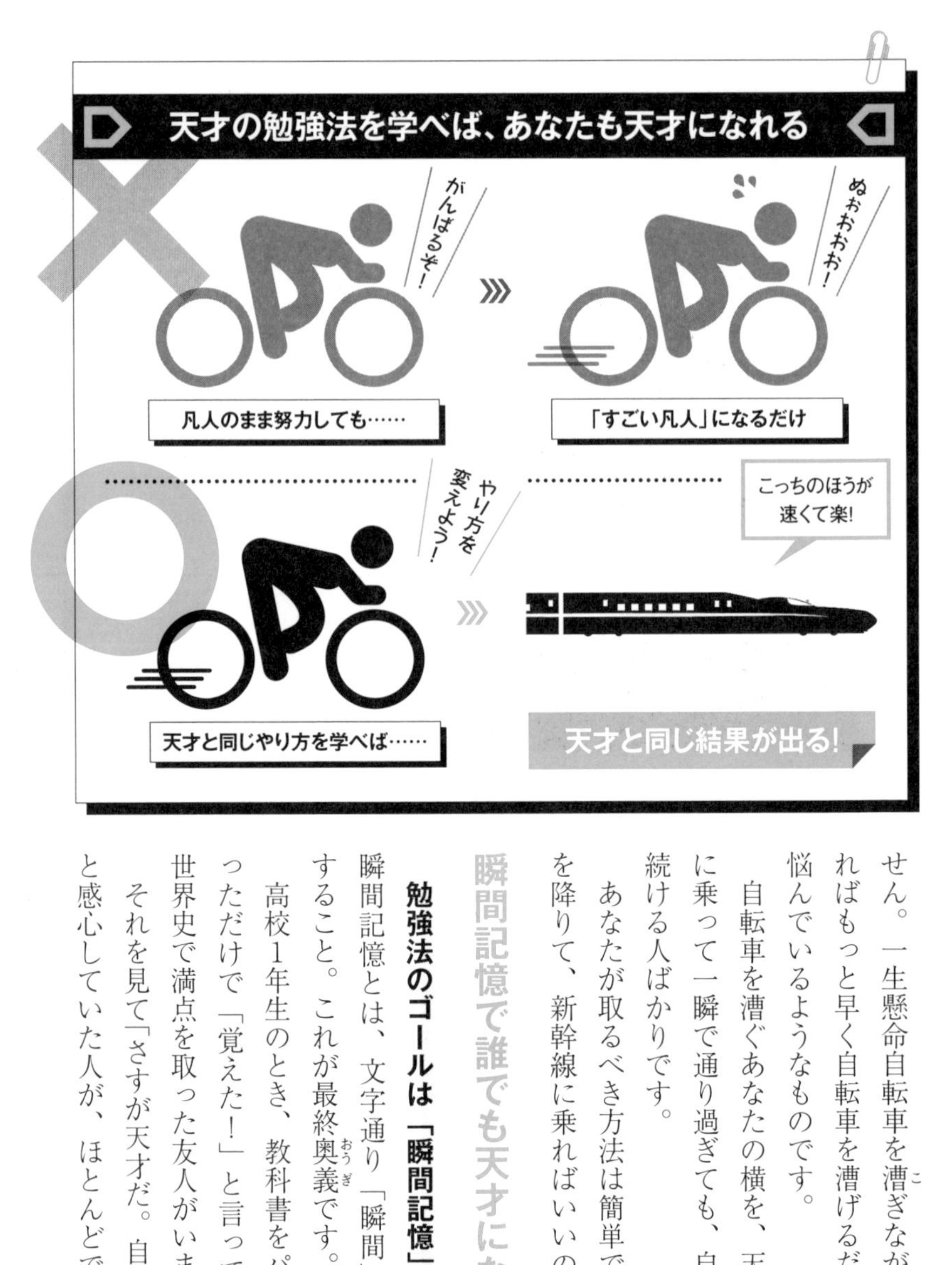

せん。一生懸命自転車を漕ぎながら「どうすればもっと早く自転車を漕げるだろうか」と悩んでいるようなものです。

自転車を漕ぐあなたの横を、天才が新幹線に乗って一瞬で通り過ぎても、自転車を漕ぎ続ける人ばかりです。

あなたが取るべき方法は簡単です。自転車を降りて、新幹線に乗ればいいのです。

瞬間記憶で誰でも天才になれる

勉強法のゴールは「瞬間記憶」の習得です。

瞬間記憶とは、文字通り「瞬間」で「記憶」すること。これが最終奥義です。

高校1年生のとき、教科書をパラパラめくっただけで「覚えた！」と言って、日本史・世界史で満点を取った友人がいました。

それを見て「さすが天才だ。自分とは違う」と感心していた人が、ほとんどでした。

そんななか、私が考えたこと。

「天才だから瞬間記憶ができるのではない。瞬間記憶ができれば私も同じように天才になれるんだ」と閃いたのです。

パラパラ教科書をめくるだけで覚える

「私は生まれつき、頭が悪いから、勉強は無理だ」とあきらめている方も多いでしょう。では「瞬間記憶」ができたとしても、あなたの成績は悪いままでしょうか。

違うはずです。**パラパラと教科書をめくっただけで頭に情報が入ってくるようになれば、あなたも天才になれるはずです。**

しかし私も「では、どうしたら瞬間記憶をマスターできるのか」はわかりませんでした。

天才の友人に尋ねても「小学校の頃から一度見たものは忘れないしなぁ。なんでこういうことができるかは説明できない」と言われ、途方に暮れていました。

そして高校2年生の春に、私の人生を変える英語の先生と出会えたのです。

3ヵ月間、時間を使いなさい

その先生はこう言いました。

「このなかで英単語を目で見て覚えている人、手を挙げてください。はい、誰もいませんね。では英単語を1単語1秒で、目で見て覚える訓練を3ヵ月以上したことがある人、手を挙げてください。誰もいませんね。

なぜ訓練をしたこともないのに、最初から無理だと決めつけているのですか？」

その話を聞いて、ハンマーで頭を殴られたような衝撃を受けました。

ほとんどの人は瞬間記憶をマスターするために、3ヵ月間を費さない。だから凡人のまま努力をしている。

ならば私は、**勉強を始める前に3ヵ月間、瞬間記憶のマスターだけに時間を費やそう**と考えました。いままで考えていたことが一本の線でつながったのです。

瞬間記憶で偏差値が大きく上がった

私は高校2年生の最初の3ヵ月間を、ひたすら1単語1秒、目で見て覚える訓練に費やしました。

すると3ヵ月後の模試で、偏差値30だった私が偏差値74になりました。世界史も、目で見て覚えて勉強したところ、3ヵ月で偏差値が70になりました。そして、高校3年生のときのZ会の慶應大学模試で全国1位を獲得するに至ったのです。

凡人でも、3ヵ月間使って天才に生まれ変われば、天才と同じ結果を得られることを、身をもって証明したのです。

間違った勉強法を捨てよう

瞬間記憶は、そもそも間違った方法論で勉強をしたら、間違ったまま勉強が最速化されてしまうというデメリットがあります。

(0) やってはいけない勉強法を知り、正しい勉強法に切り替える

(1) 瞬間記憶をマスターする

(2) 努力する

この3ステップが大事です。(1) の前の、前提となる (0) が存在するのです。

「間違った勉強法→瞬間記憶をマスター→努力する」では、最速で成績が下がります。

この本で一緒に「やってはいけない勉強法」を学び、天才に生まれ変わりましょう。

天才に生まれ変わるための一歩は、この本をいますぐレジに持っていくことから始まるのです。

最初に3ヵ月トレーニングして、天才になってから勉強を始める

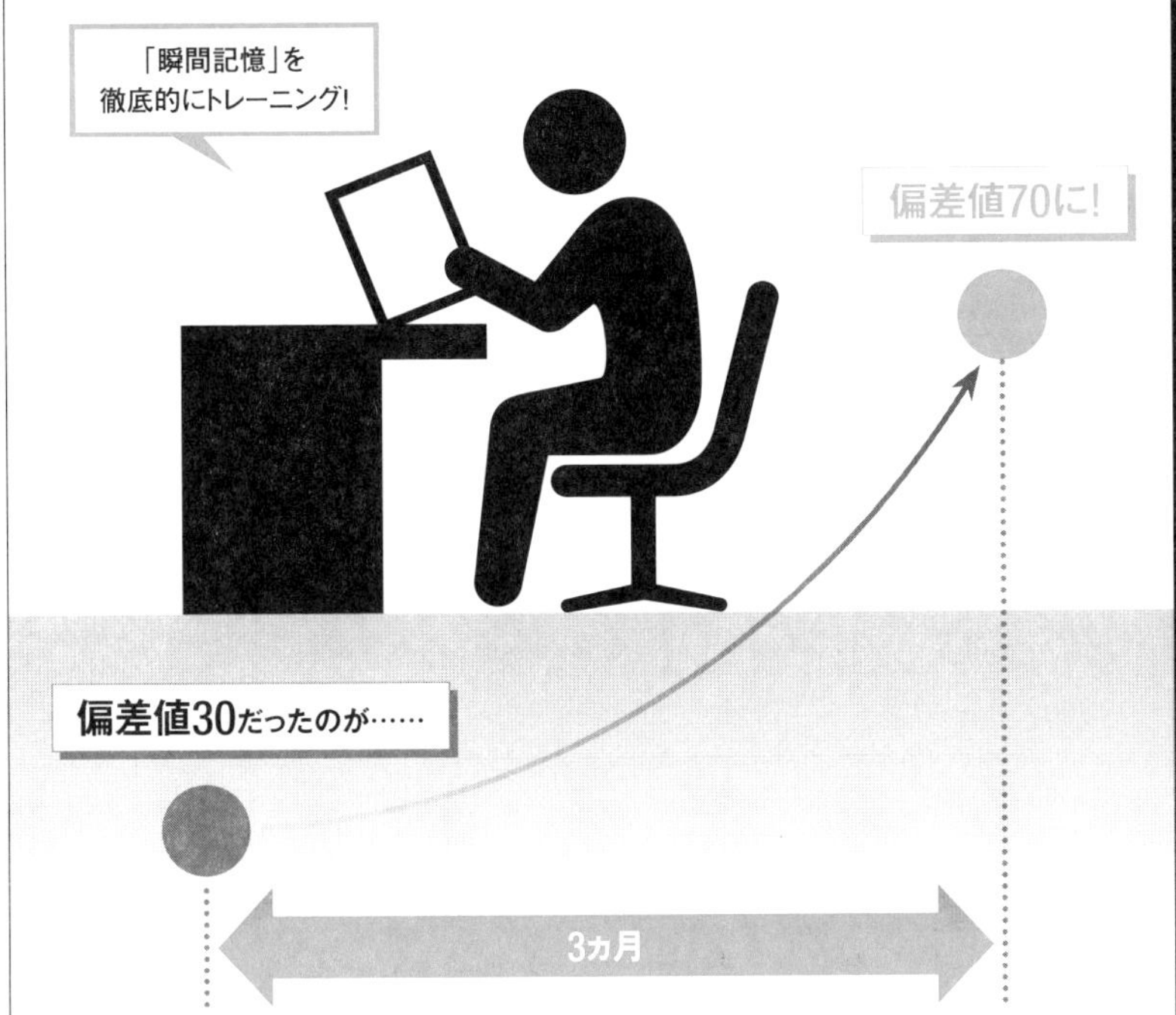

「瞬間記憶」を
徹底的にトレーニング!

偏差値70に!

偏差値30だったのが……

3ヵ月

最速で成績が上がる3ステップ

(0) やってはいけない勉強法を知り、正しい勉強法に切り替える

(1) 瞬間記憶をマスターする

(2) 努力する

Contents もくじ

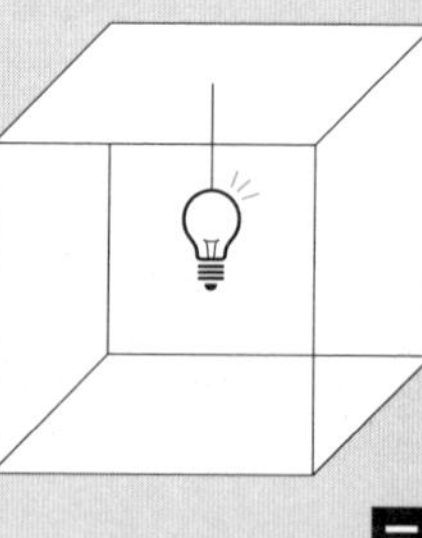

Contents もくじ

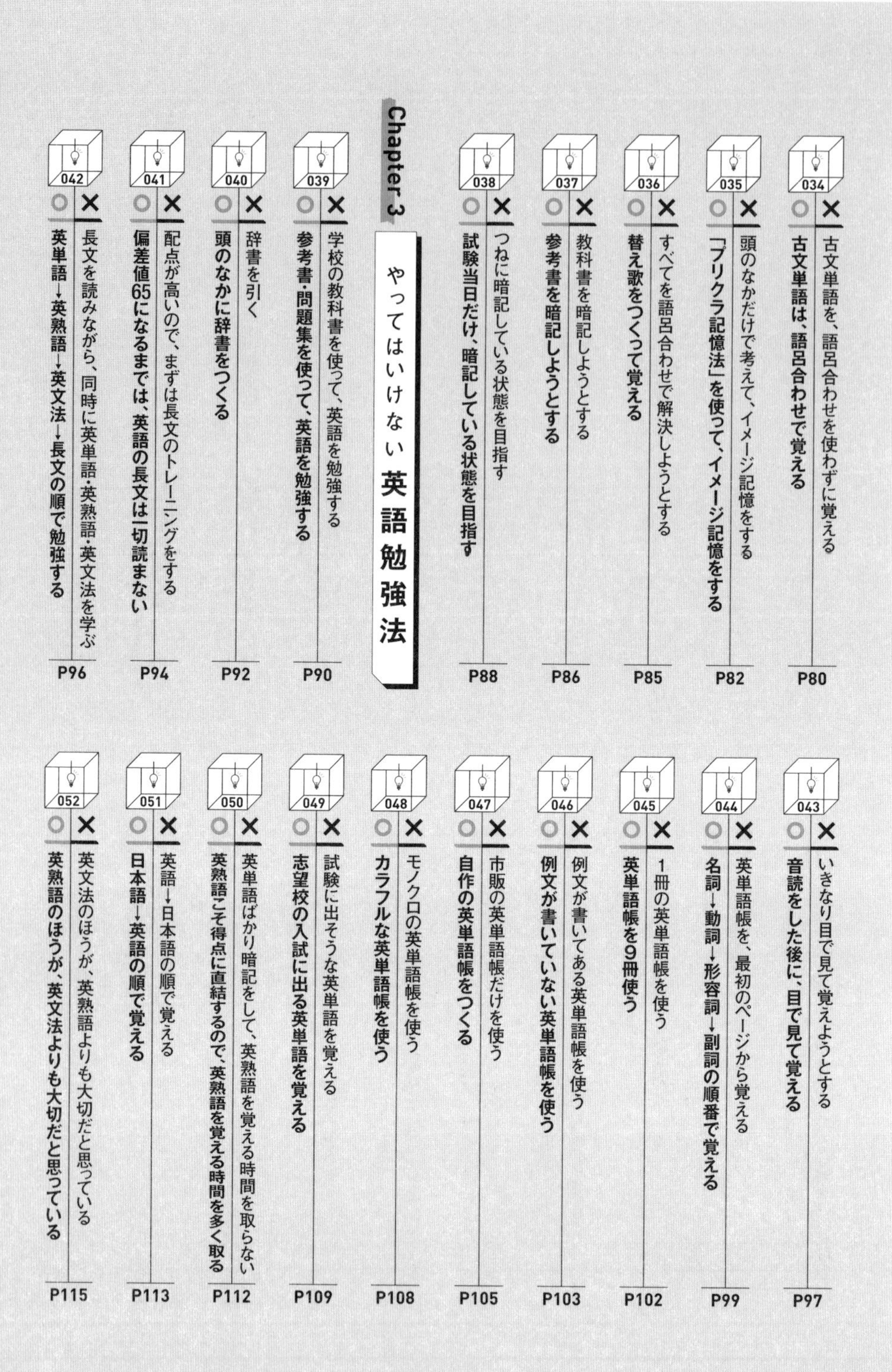

Chapter 3 やってはいけない 英語勉強法

Contents もくじ

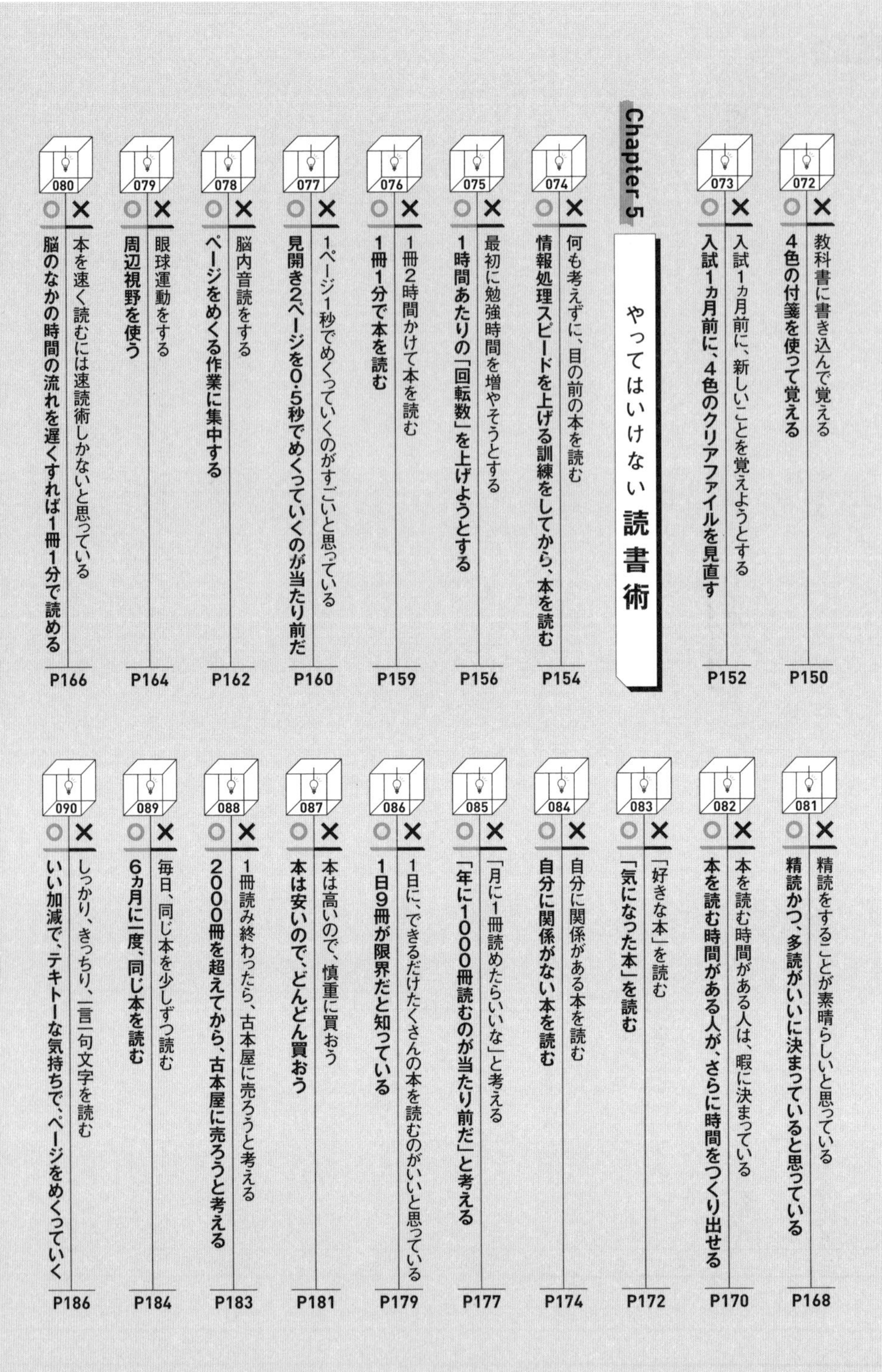

Contents もくじ

Contents　もくじ

カバーデザイン　池上幸一
本文デザイン、図版制作　土谷英一朗（Studio Bozz）
校正　鷗来堂

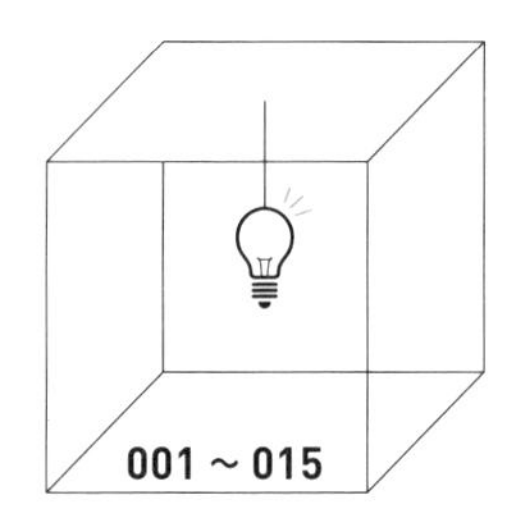

Chapter 1

やってはいけない勉強法の基本

001

✕ やってはいけない!
独学でがんばる

○ これで天才に!
先生をつける

勉強を独学でしようとする人がいます。

独学は参考書や問題集を買ってひとりで勉強するので、安上がりで素晴らしいと思いがちです。実際「私は塾に通わずに、独学で東大に合格したんです」という話は「塾にお金をかけないなんて、親孝行な子どもだ！」と、美談のように語られます。

しかし、**独学は一番やってはいけない勉強法です。**

なぜなら、「先生との出会い」が人生では重要だからです。むしろ、独学をすることでそのチャンスを逃す「機会損失」のほうが、お金よりも大きな問題です。

独学は時間の無駄

また、先生をつけないのは、時間の使い方としても間違っています。

先生に聞けばいいものを、自分で調べていたら時間の無駄だからです。プロフェッショナルがいるのですから「どこが試験に出るのだろうか」と試行錯誤するより、「ここが試験に出ますよ」と先生に教えてもらったほうが早いのです。

勉強において大切なのは、スピードです。

「競争では、つねに速い者が勝つ」（ベンジャミン・ディズレーリ）という言葉があります

勉強にお金をかけると高学歴のスパイラルに入れる
一番やってはいけない勉強法
お金をかけず、独学で勉強しなさい
お金をかけず、独学で勉強しよう
低学歴スパイラルに…
勉強にお金をかけるのは当然だ!
子どもの教育にはどんどんお金をかけよう
お金をかけて、先生から学ぼう
高学歴スパイラルに!

が、勉強という競争でも、〝いかに最速で勉強ができるようになるか〟が第一であって、お金がかかる、かからないは二の次です。

高学歴の子は高学歴に

「東大に合格する子どもの親は、年収１０００万円以上が多い」という事実があります。

これは、東大に入れるような子どもが育つ家庭は、最速で勉強をするために**〝教育にお金をかけるのが当たり前〟**という考え方を持っている家庭が多いからです。

東大卒の男性と東大卒の女性が知り合って結婚して子どもができたら、その家庭では子どもに教育費をふんだんにかけます。この高学歴スパイラルが生まれるわけです。

「教育費をかけることは当然である」という家庭の子どもは塾に通わせてもらえるので、どんどん成績が上がります。

そして高い学歴を手に入れ、教育熱心な伴侶を得られるという高学歴のスパイラルになっています。

逆に「勉強にお金をかけるのはもったいない」という価値観の２人が結婚すると、子どもに教育費をかけないのが当たり前になります。こうして、低学歴のスパイラルも同時にできあがっていきます。

お金よりも時間が大切

どこかで〝教育のためにお金をかけるのは当たり前〟という考え方にシフトしましょう。そうしないと、ずっと子孫が低学歴のまま……ということになりかねません。

試行錯誤の時間をカットするために、お金を払って先生をつける。

お金よりも時間を大切にする人が、勉強ができる人になれるのです。

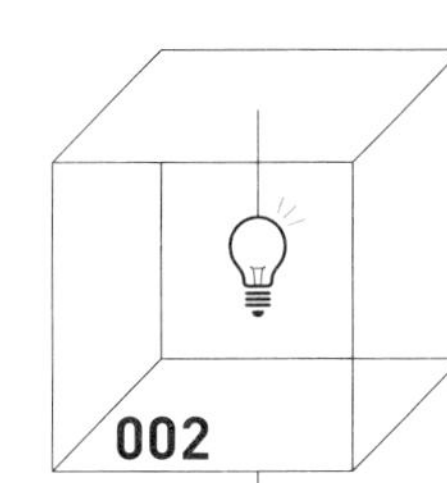

✕ 通信教育で済ませる

○ 直接、話を聞いて教わる

最近は通信教育が流行しています。パソコンやスマートフォンで授業が受けられるので、地方に住んでいても一流の先生の授業が受けられる時代になりました。

これは素晴らしいことです。やらないよりは、やったほうがいいでしょう。

ですが「通信教育を受けているから、それだけで安心だ」というのは間違いです。

どこかで「なるべくお金をかけずに勉強をしたい」と考えてはいないでしょうか。

教育への投資は利回りがいい

教育投資の利回りは18%と言われています。

すべての金融商品の利回りを上回るのが、教育への投資なのです。

勉強のためのお金を年間100万円以上かけても、いずれ何十年後に利子がついて戻ってきます。

長期の記憶には「体験」が不可欠

先生のところに通うことのメリットは、実際に生の授業を聴くことで先生との人間関係ができる点が大きいです。

先生に会いに行けば、あなたは授業中に寝てしまって、怒られることもあるかもしれません。

しかし、怒られたことが思い出になり、勉強の記憶にもつながります。

私自身、中学生のときに、壁に落書きをして、塾の国語の先生から怒られたことは、いまでも記憶に残っています。

ビデオ授業の内容は素晴らしいものであったとしても、10年後、20年後には忘れているはずです。

長期の記憶に残るために必要なのは「体験」です。

普通に暗記したことは10年後には忘れてしまいますが、体験したことは10年後でも記憶に残るのです。

通信教育だけではなく、先生と直接触れ合う勉強をしよう!

直接、話を聞く教育

メリット

- 先生の息遣いが感じられる
- 先生と人間関係がつくれる
- 勉強以外の出来事などでも長期の記憶に残る
- 「体験」を得られる

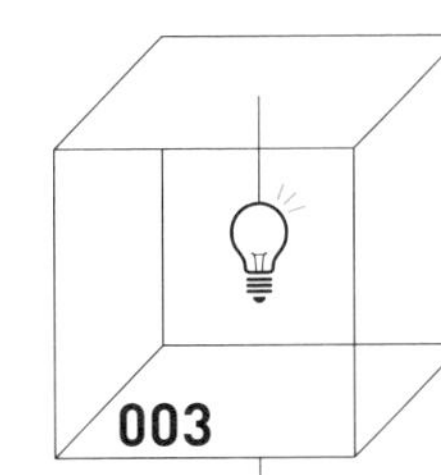

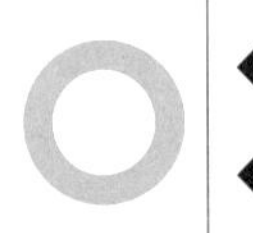

やってはいけない!

これで天才に!

家庭教師はつけないほうが賢明です。当たり外れが大きいからです。

よくない家庭教師に当たったら時間の無駄になります。「別の先生に変えてほしい」とお願いするのもストレスです。

家庭教師は大学生のアルバイトが講師を務めているケースが多いです。それより、**講師という職業で食べているプロの塾講師に習ったほうがいいに決まっています。**

プロから教わることで「ああ、こう教えればいいんだな」ということもわかります。

さらに、プロが教える塾では、ダメな先生はすぐに人気がなくなって淘汰されます。

人気講師は最高の授業をするために知恵を絞っているからこそ、人気講師でいられるわけです。その人気講師のなかから、あなたにぴったりの先生を探しましょう。

いい先生との出会いが人生を変える

勉強は、成果を上げるためにおこなうものです。人生にとって思い出になるのは「いい先生にどれだけ出会えるか」です。

先生に出会うことは、人生の楽しみの1つでもあります。いい先生に巡り合うためにも、厳選されたプロの塾講師に教わりに行くべきでしょう。

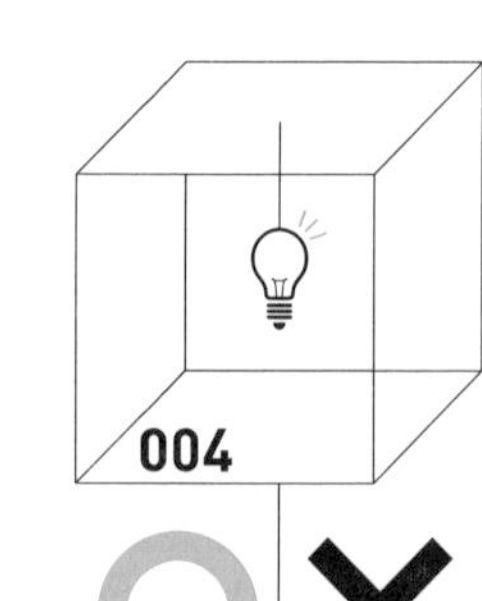

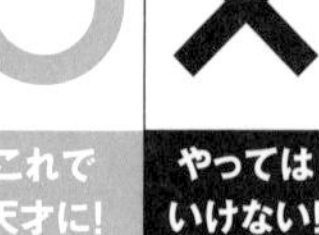

×　小論文を自分で練習して、上手になろうとする

○　小論文は添削してもらって、上手になろうとする

文章は自分の力だけでは絶対に上達しません。私は作家志望の方に文章の書き方を教えていますが、文章は自分の力だけで上達するのは不可能だと感じています。

なぜなら、誰しも自分にとって最高の文章を書いているからです。だからこそ**「自分にとって最高の文章が、なぜほかの人にとっては読みづらいのか」を客観的に教えてもらうことでのみ、文章は上達します。**

これは小論文だけの特殊な性質です。

英語・数学・理科・社会は模範(もはん)解答を見れば、どんな人でも自分の間違いに気づけます。

ですが、小論文は自分の間違いに絶対に自分では気づけません。自分にとっての最高の文章が、ほかの人にとっても同じであるとは限らないからです。

多くの人に読んでもらおう

通信教育よりも塾がいいと前述しましたが、例外があります。それが小論文です。通信教育をうまく利用すれば、多くの見知らぬ先生から指導を受けることで、自分の文章を客観的に添削(てんさく)してもらえるからです。

こと小論文に関しては、いろいろな先生に読んでもらい、意見をもらうのが効果的な勉強法なのです。

多くの
見知らぬ先生から
指導を受けられる

小論文は
自分で間違いに
絶対気づけない

客観的に添削してもらえる

005

これで天才に！　漢字の勉強をする

やってはいけない！　漢字の勉強は一切しない

漢字の勉強は小学校のときまでは大切です。小学校レベルの漢字がわからないと、問題文も読めず、何を問われているのかがわからないからです。

ですが中学に入ったら、時間をかけて漢字の勉強をするのはオススメしません。なぜかというと、**入試での配点が低いからです。**

たとえば東京大学の入試問題でさえ、漢字問題は3問しか出てきません。そして、問題の傾向としては次のとおりです。

1問は〝勉強しなくても知っている〟漢字。もう1問は〝勉強していても知っているはずがない〟漢字。残りの1問が〝勉強すればできるようになる〟漢字だと考えてください。

漢字問題の配点が1問2点で、6点満点だとします。勉強しなくても2点は取れますし、時間をかけて勉強しても4点しか取れないなら、その差はたった2点です。

この2点のために勉強時間の多くを費やすのは、時間の無駄です。

漢字を知らなくても困らない

漢字を勉強するより、配点が高い英語・数学の勉強に時間を使ったほうが、効率的に総合得点を上げることができるのです。

「でも漢字を知らなかったら、社会に出てから困るじゃないか」

こう言う方がいます。それなら社会に出てから困ればいいだけです。しかも実際には、**小学校レベルの漢字を学んでいれば、社会人になって支障が出ることはまずありません。**

私自身、アナウンサーとして5年働きましたが、原稿には必ずふりがなが振ってあり、困ることはまったくありませんでした。

日本語の専門家であるアナウンサーでさえ漢字が読めなくても困らないのですから、漢字を知らなくても社会に出て困ることは、ほとんどないと考えてもいいでしょう。

勉強にはメリハリが必要

試験に出るからといって、すべてを同じように勉強する必要はありません。試験の配点が低いものはどんどん捨て、配点が高いものに時間を充てていくのが正解です。

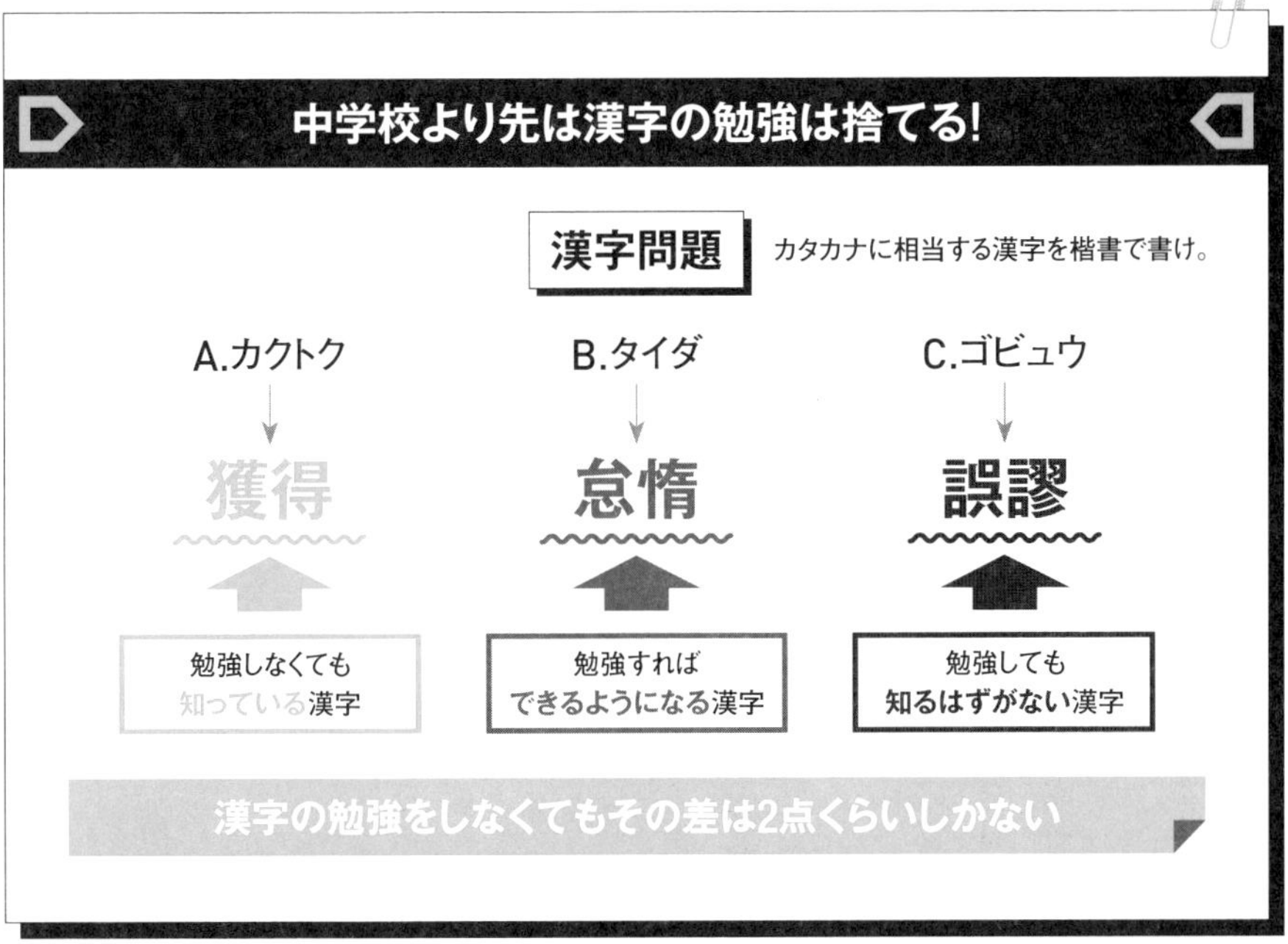

中学校より先は漢字の勉強は捨てる!

漢字問題 カタカナに相当する漢字を楷書で書け。

A.カクトク	B.タイダ	C.ゴビュウ
獲得	怠惰	誤謬
勉強しなくても知っている漢字	勉強すればできるようになる漢字	勉強しても知るはずがない漢字

漢字の勉強をしなくてもその差は2点くらいしかない

006

やってはいけない!

1冊の参考書を繰り返す

これで天才に!

現存する参考書はすべて買う

「同じ参考書を何度も繰り返しなさい」

学校でこのように教える先生は、とても多いです。これは一見すると、正しいことのように聞こえます。

たしかに、「同じ参考書を何度も繰り返す」勉強法は、凡人には正しいやり方です。しかし天才にとっては、同じ参考書を何度も繰り返すのは意味がない勉強法です。

なぜなら、天才は最終的に自然と**「瞬間記憶」**ができるようになるからです。

天才は「瞬間記憶」を使って勉強するわけですから、1冊の参考書を繰り返して勉強していたら、どうなるでしょう?

そう、1日の勉強が10分以内で終わってしまうのです。

天才は参考書をすべて買う

「瞬間記憶」を使う場合、同じ内容のものを繰り返すより、異なる参考書をどんどん覚えたほうが、大量の情報を頭に入れることができます。

たとえば日本史を勉強する場合、1冊の参考書を繰り返すのと、200冊の参考書を頭に入れるのであれば、後者のほうが当然成績は上がります。

よって、**天才にとっての理想は「現存する**

参考書はすべて買う」です。これが正しい勉強法になるのです。

天才は満点が取れて当然

全国模試で1位を取る実力者は、基本的には模試でどんな問題が出ても解けます。

なぜならそのクラスになると、現存する問題のほぼすべてに目を通し、覚えているからです。

すべての問題が「見たことのある問題」ならば、満点が取れて当然なのです。

もし知らない問題が出たら、彼らはこう思います。

「あれ？　この問題はどの参考書にも載ってない問題だぞ。私が見たことがない問題が出るなんて、なかなかやるな」

このように思えるようになったら、天才として勉強をしている証拠です。

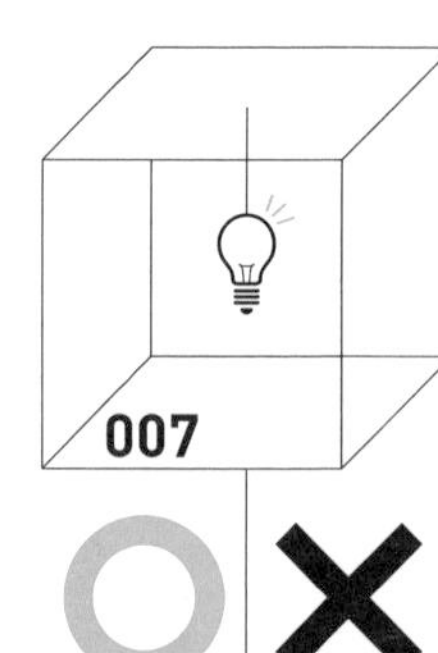

○ これで天才に！

× やってはいけない！

勉強は楽しみながらするものだ

最速で成績が上がれば、それでいい

私の勉強法を聞くと、

「そんな勉強は、味気（あじけ）ないのではないですか。勉強は楽しみながらやるもののはずです」

と言う人が必ず現れます。

勉強をする目的は「最短距離で、成績を上げること」です。それ以外にはありません。

2年がかりで偏差値70に上げる勉強法より、3ヵ月で偏差値70に上げる勉強法のほうが優（すぐ）れています。

「成績は上がるが、時間がかかる」勉強法は凡人の勉強法です。時間をかけず、しかも楽に成績を上げるのが天才の勉強法です。

楽しんでいるのは初心者だけで、達人クラスの人になると、楽しいを超えたところで勝負をしています。

プロは楽しまない

プロゴルファーと、上手なアマチュアでは、どちらがゴルフを楽しんでいるかといえば、上手なアマチュアです。

プロゴルファーは、いいスコアを取らないと生きていけないので、修行のような境地（きょうち）でスコアを上げる練習に取り組んでいます。

試験は合格してナンボです。合格するためには、最短の時間で最大のパフォーマンスを出すことが大切です。

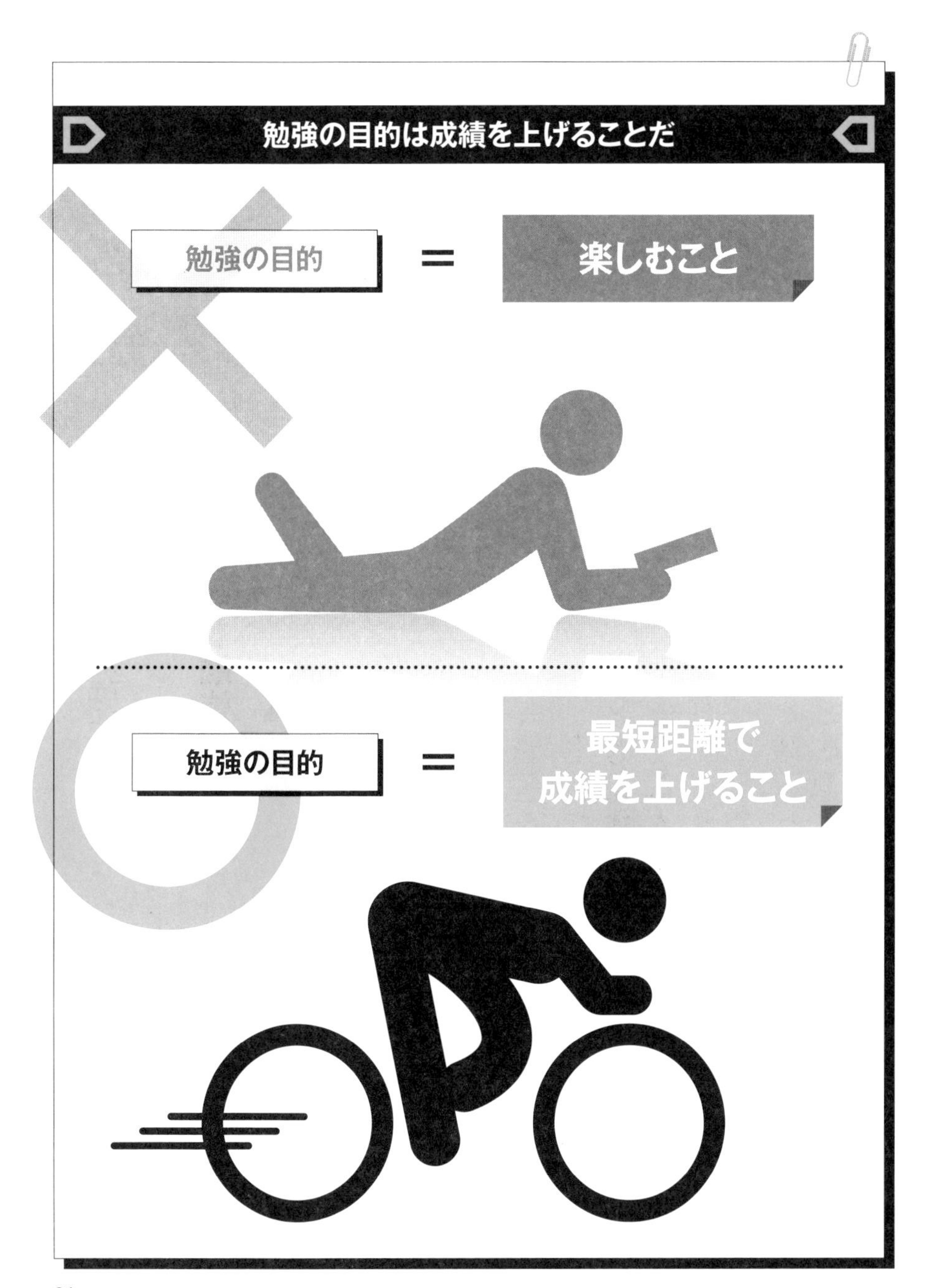
勉強の目的は成績を上げることだ
勉強の目的
=
楽しむこと
勉強の目的
=
最短距離で
成績を上げること

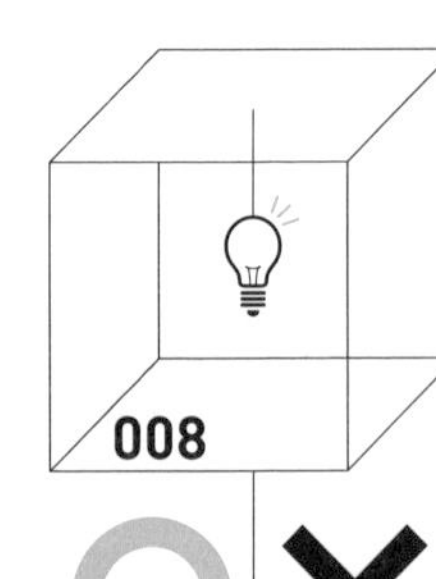

人目を気にして勉強する

人目を気にせず勉強する

「ほかの人からどう見られているのか」を気にする人がいます。なかには、「ガリ勉だと思われたくない」という人もいます。

他人の目を気にせずに、**「最短・最速で結果を出す。それ以外はすべてノイズである」**と割り切ることが大切です。

英語の長文を1行1秒でなぞっていたら、ほかの人から見たら「いったい何をしているんだ？　こいつはおかしい」と思われるのは、ほぼ確実です。

でも、人目を気にせずに、なぞるのです。そのほうが、成績が上がるからです。

私が受験生時代に、電車のなかでブツブツ呟(つぶや)いていたら、「チッ！　ウッセーなあ！」と、知らない人から大声で言われたことがあります。それでも、気にせずやりました。

他人に迷惑をかけてもいい

「電車でブツブツ呟いたら、ほかの人の迷惑になるのでは？」と思うかもしれませんが、**どんどん迷惑をかけましょう。どうせ二度と会わない人たちです。**

それよりも、あなたが受験で落ちて浪人をしたほうが親にとっては迷惑です。

見ず知らずの他人の迷惑よりも、親の迷惑のほうを優先したほうがいいのです。

イチローも理解されなかった

友達から変な奴だと思われても、気にしないでください。**天才のすることは、どうせ凡人には理解できないのです。**

振り子打法のイチロー選手でさえ、「バッティングフォームを直さなければ、1軍に上げない」と言われ、新人時代には2軍に落とされたことがあるくらいです。

「夜を昼にする」と言ったエジソンは、「夜は暗いから夜なんだよ」と、理解してもらえませんでした。どの時代も、天才は凡人からは理解されないのです。

勉強の成果を上げることが第一で、それ以外のことは、すべて捨てる。

そう割り切って、人の目を気にせずに勉強する人が、成果を上げられる人なのです。

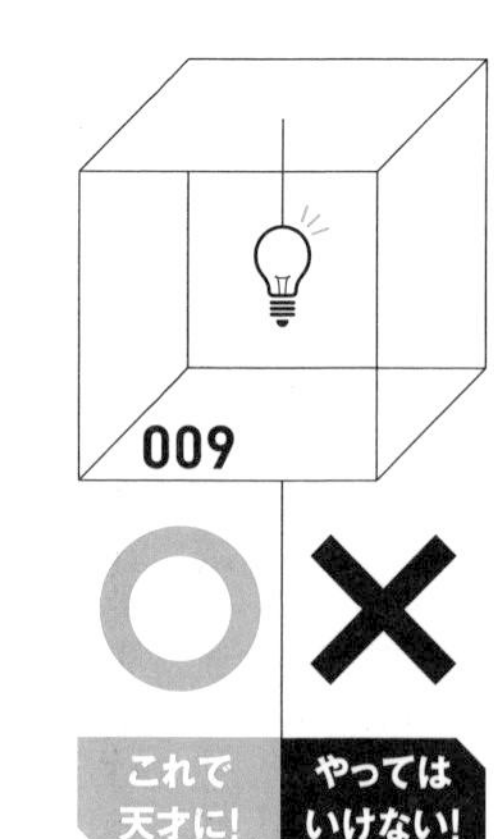

✕ やってはいけない!

知らない問題ばかりの問題集を選ぶ

○ これで天才に!

8割知っている問題がある問題集を選ぶ

問題集を選ぶとき「この問題集は知らない問題ばかりなのでお得だ」と買う人がいます。ダメです。

知らない問題が多い問題集は、解くのに時間がかかるので、あなたに向いていない問題集です。一番いいのは、**「8割知っている問題で、2割が知らない問題」**という問題集です。

8割知っているのに、2割知らない問題集というのは、2割の「抜け」を教えてくれる素晴らしい問題集だということです。

成績が上がらない理由は、どこかに「抜け」があるからです。「抜け」というのは、知識の盲点のことを指します。

小学校3年生の勉強を飛ばして、小学校4年の勉強をしてもさっぱりわからなくなるのと同じで、**勉強の基本は「抜け」をなくしていくことです。**

自分の実力でストレスなくこなせるか

知っているものが8割、知らないものが2割の問題集を使えば、あなたの実力でストレスがなく理解できるので、さらに問題集をこなすスピードが上がります。

知らない問題ばかりがあるとしたら、それはまだあなたが手をつける問題集ではないということです。

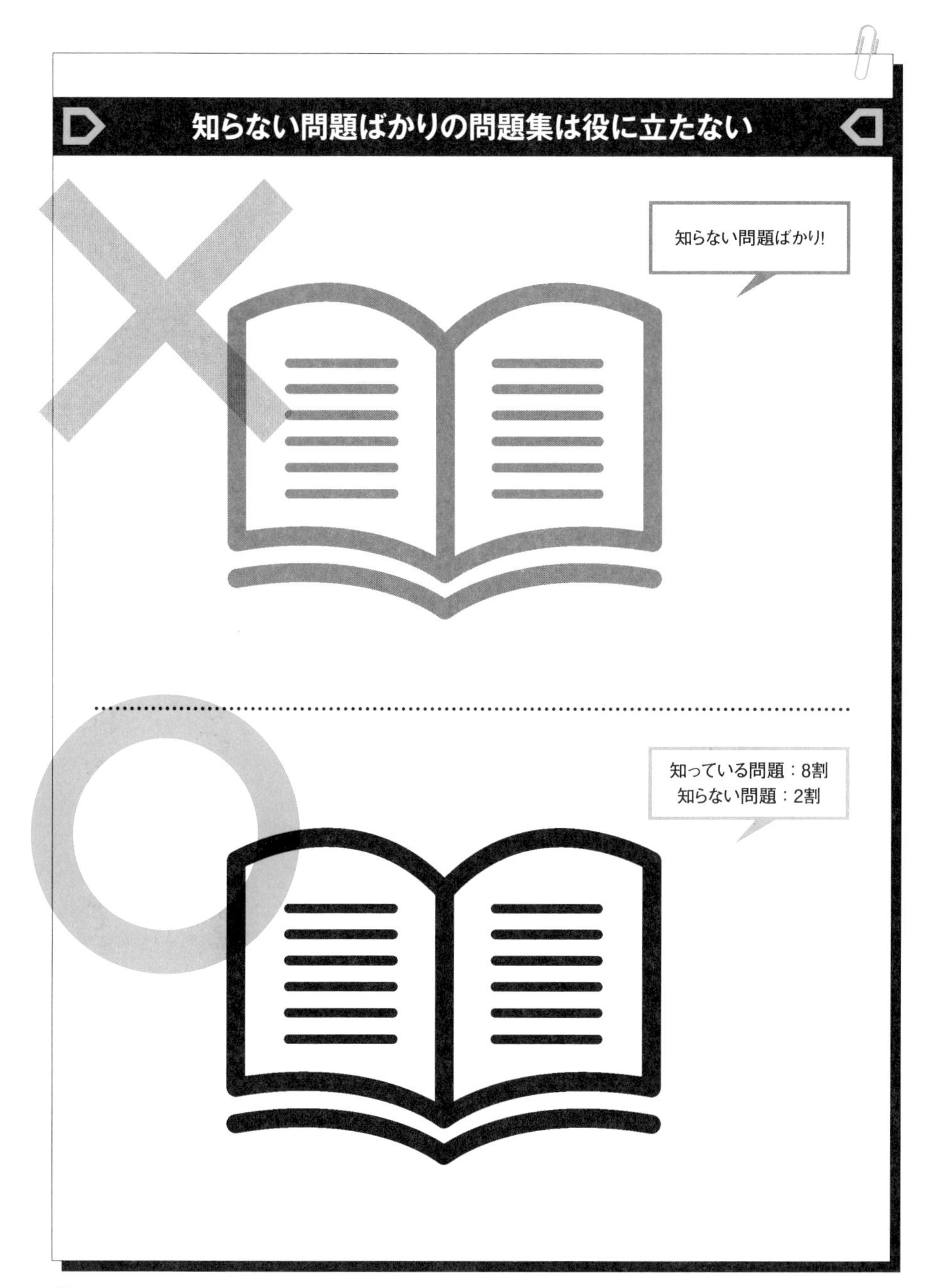
知らない問題ばかりの問題集は役に立たない
知らない問題ばかり!
知っている問題：8割
知らない問題：2割

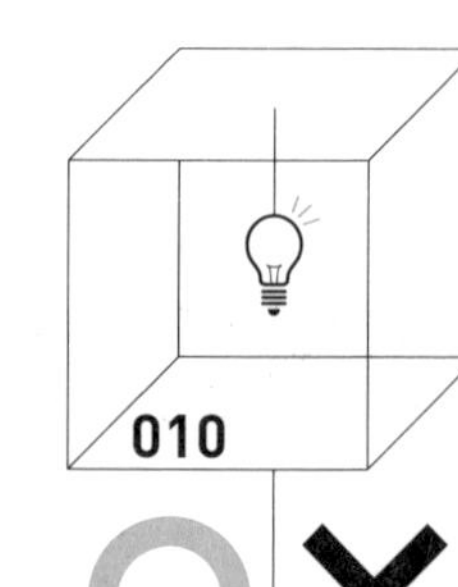

勉強をしているときは、恋愛をしてもいいと思っている

勉強をしているときは、恋愛はしないと決めている

私は浪人時代、**「女性とひと言も口を利かない計画」**を実行していました。

祖母・母親・妹以外の女性とは口を利かないようにしていたのです。

もし、少しでも話をして好きになってしまったら、勉強をする時間が削られるからです。

結局1年間で、「この席空いてますか?」と自習室で聞いたことと、「傘、忘れましたよ!」と電車から降りる女性に声をかけた2回以外は、女性とは口を利きませんでした。

傘を忘れた女性に関しては、一瞬「ルールを守るべきか?」と躊躇しましたが、さすがに高そうな傘だったので声をかけました。

もし、ビニール傘だったら、声をかけていなかったかもしれません。

人間として大切なことを捨てる

「それって人間として、どうなんですか?」と訝しがる人もいるかもしれませんが、「人間として」などということを考えている時点で、ほかの99%を捨てられていないということです。

「人間として大切なことがあったとしても、それよりも勉強をとる」

という人が、勉強で成果を出せる人なのです。

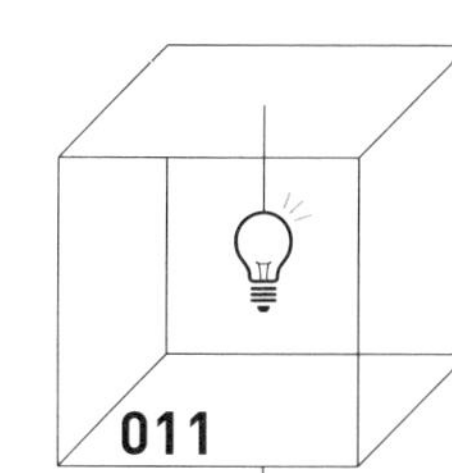

自分のことを人間だと思っている

自分のことを妖怪人間だと思っている

私は受験生時代、**「自分は人間ではない」**と思っていました。「人間ではなく、妖怪人間なんだ。ベム・ベラ・ベロなんだ」と思って、ほかの99%を捨てていました。

髪の毛がボサボサでも平気、毎日同じ服でも平気、電車のなかでブツブツ英単語を呟いて変な顔をされても、「もうどうせ、二度と会わない人だ」と無視していました。

「外界シャットアウト計画」と呼んで、受験以外のものをすべてシャットアウトする計画を実行していました。

とくに大切にしていたのは、**「家のチャイムが鳴っても出ない」**でした。いちいち出ていたら集中が途切れます。ほとんどは宅配の人なので、再配達してもらえばいいだけ。だから100%無視していました。

電話もすべて無視する

「友達から電話がかかってきても、いないと言って切ってくれ」と母親に伝えていましたので、電話にも出ませんでした。

家族から電話がかかってきても、「貴士は電話に出ないものだ」と知っていたので、怒られることもありませんでした。

テレビも見ない、ラジオも聴かない、音楽も聴かないは当然です。洋服も一度も買いに行きませんでしたし、「気晴らしに遊園地に行こう」と誘われても、断りました。
私にとって英語の気晴らしは世界史で、世界史の気晴らしは英語だったからです。

年末年始も関係ない

12月31日の24時に、家族から「年越しそばを食べろ。縁起ものだから」と言われても、問題を解いている途中だったので、食べませんでした。

このくらい徹底的に外界をシャットアウトして初めて、99%を捨て、1%に集中することができたと言えます。

いま「司法試験を受けろ」と言われても、いま「もう一度東大を受けろ」と言われても私ができないのは、これほど本気にはなれないからです。

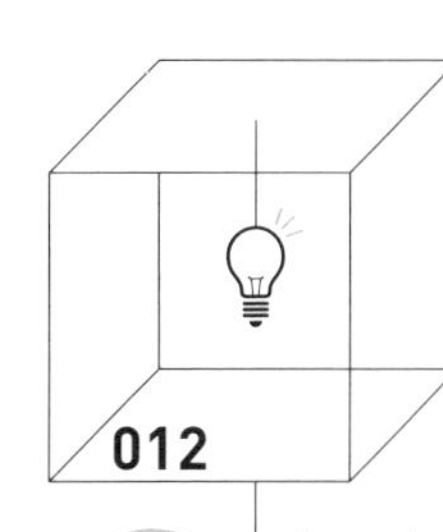

×やってはいけない!

100のことに、1%ずつ力を注いでいる

○これで天才に!

残りの99%を捨て、1%のことに100の力を注いでいる

『エッセンシャル思考』（グレッグ・マキューン著／かんき出版）という本に、「残りの99%を捨て、1%に集中する人が成功する」とあります。

勉強もそのとおりです。

あなたが「大学受験のために暗記がしたい」と本気で思ったら、大学受験以外の99%のことを捨てる必要があります。

恋愛や友達をつくるのは時間の無駄です。電話をしたら、平気で30分時間が無駄になってしまいます。

恋愛もしたい、友達とも遊びたい、テレビも見たい、音楽も聴きたい、洋服も買いたい、遊園地にも行きたいと思っているとしたら、1%ずつ、100のことに力を注いでいることになります。

これではダメです。

脳を本気にさせる

受験勉強と決めたら、それ以外の99%はすべて捨てる。司法試験に受かると決めたら、それ以外の99%はすべて捨てる。

そうすると、**脳が「本気なんだな」と判定して、そのことに関して暗記ができるようになるのです。**

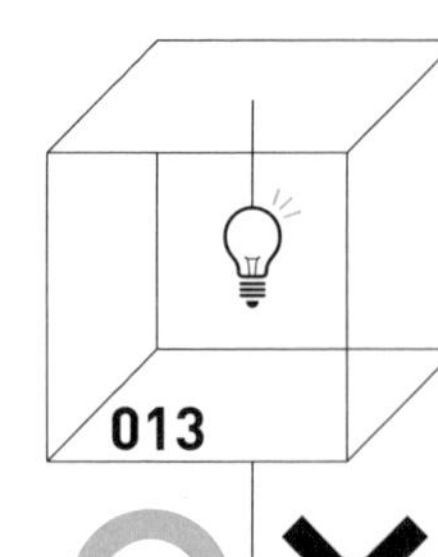

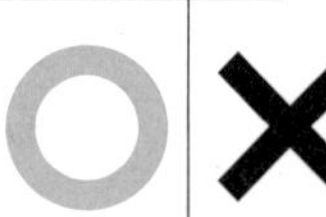

覚えようとする
忘れようとする

「覚えなければ!」と気合いを入れて暗記をしている人がいます。その場合、ほとんど覚えられないはずです。「覚えなければいけない」と思うと、失敗します。

覚えたいなら、忘れようとすればいいのです。 マンガ『巨人の星』で、主人公の星飛雄馬が魔球を編み出すために、禅寺の和尚のところに修行に行くシーンがあります。

座禅を組む飛雄馬の肩を和尚が棒で叩いて、こう言ったのです。

「打たれまい、打たれまいとするから、打たれるのだ。一歩進んで、打ってもらおう。この気持ちがあれば打たれないのだ」

ここで飛雄馬は衝撃を受け、インスピレーションが湧きます。そして「わざとボールを凡打にする」という大リーグボール1号が誕生するのです。

凡人と逆のことをする

暗記も同じです。

「覚えよう、覚えようとするから、忘れるのだ。一歩進んで、忘れよう、忘れようとすれば覚えられる」

これが天才の暗記法です。

天才は、忘れることにわざと失敗することで暗記をするのです。

忘れようと努力して失敗し結果的に「覚えている」状態に
凡人は覚えようとして失敗し、
忘れてしまう
覚えるぞ!
覚えるぞ!
忘れた…
天才は忘れようとして失敗し、
覚えている状態をつくる
覚えてる!
忘れよう!
忘れよう!
凡人とは逆の発想をしよう!

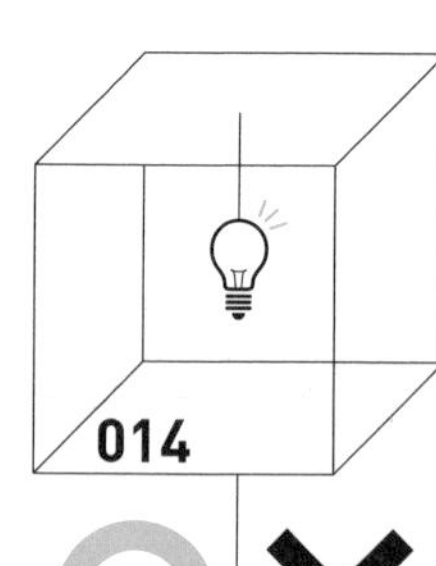

黄色の蛍光ペン1色だけを使う

赤・緑・黄・青の4色の蛍光ペンを使う

「アンダーラインを引こう」と、黄色の蛍光ペンだけを持ち歩いている人がいます。

蛍光ペンは1色だけではなく、赤・緑・黄・青の4色を使いましょう。

「右脳は色に反応する」と言われますので、色を使って勉強するのは基本です。

暗記は左ページのように色分けします。

そうすると、緑のものを暗記して赤にするのがもっともストレスが少なく、最短で覚えられます。

時間があれば黄色を緑に昇格させ、青を黄色に昇格させていくために、何度も眺めたり、音読したりします。

つねにこの4色に色分けをしてから教科書・参考書を眺めることで、瞬間記憶の際にとてもスムーズに覚えられます。

4色分けは下準備

「色を塗る時間がもったいないのではないか」と言う方がいますが、最終的に、**「瞬間記憶をいかにスムーズにしていけるか」**のために準備するのが、天才の勉強法です。

ウルトラマンにたとえると、スペシウム光線を出すまでに、怪獣を投げ飛ばしたりして弱体化させていくのが、4色に分けていく作業です。

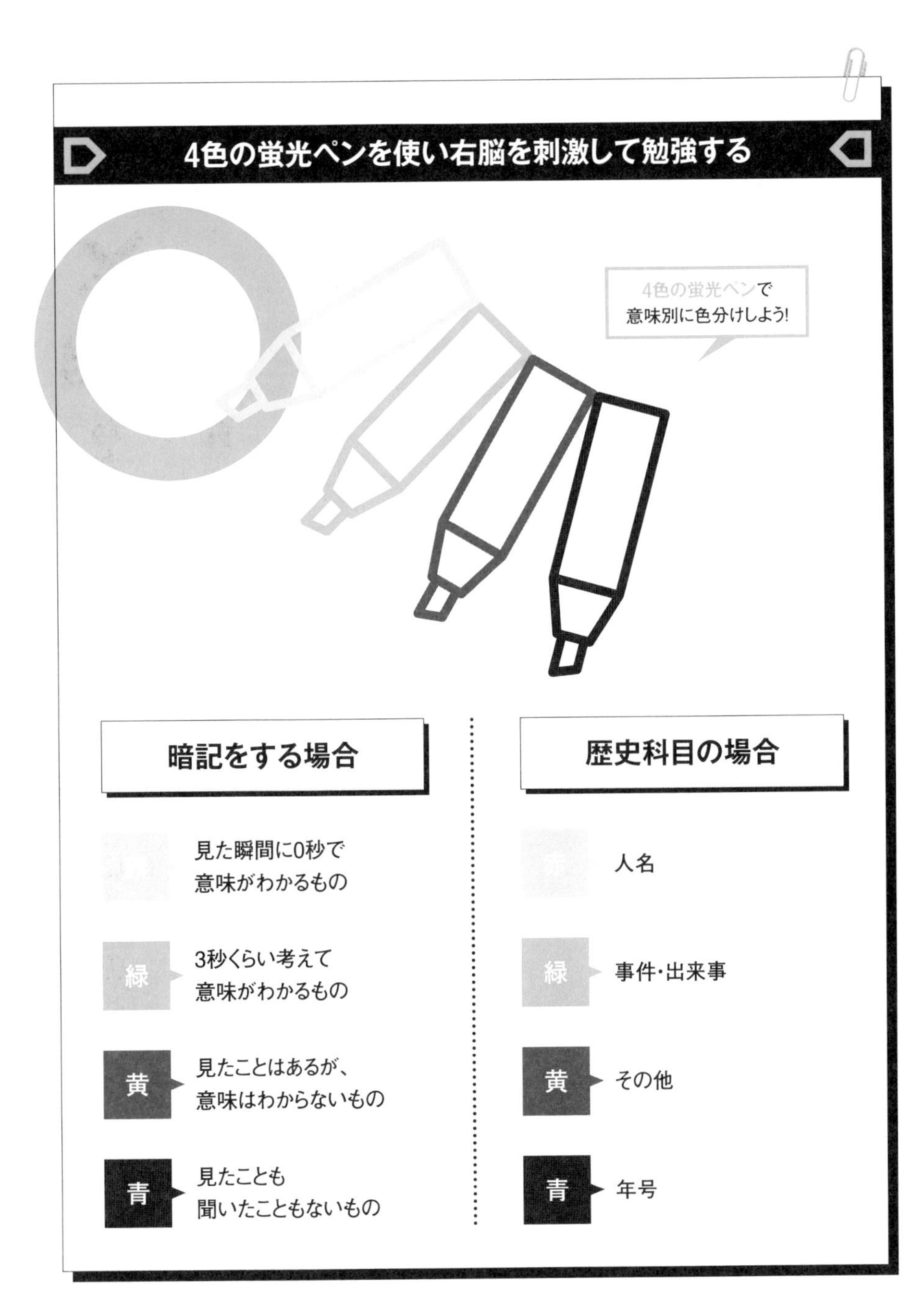
4色の蛍光ペンを使い右脳を刺激して勉強する
4色の蛍光ペンで
意味別に色分けしよう!
暗記をする場合
見た瞬間に0秒で
意味がわかるもの
緑
3秒くらい考えて
意味がわかるもの
黄
見たことはあるが、
意味はわからないもの
青
見たことも
聞いたこともないもの
歴史科目の場合
人名
緑
事件・出来事
黄
その他
青
年号

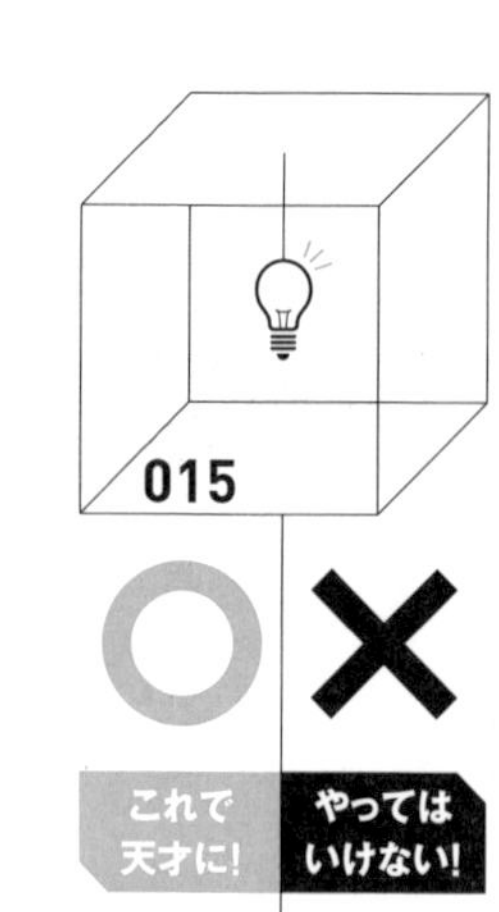

× わからないものをわかるようにするのが勉強だ

○ 青→黄→緑→赤に昇格させていくことが勉強だ

「知らない問題を解いて、理解できるようになることが勉強だ」

と考えている人は多いです。

本当にそうなら、学校の授業を受けている人は全員成績が上がって、全員が東大に合格できていなければおかしいです。

勉強には左ページのように4段階あります。

青を黄に、黄を緑に、緑を赤に昇格させることが勉強です。

まず、青の状態では何も頭に入ってきません。理科で出る「ブラウン運動」という言葉を見たことも聞いたこともなければ先へ進めません。まずは、

「ブラウン運動という言葉を、最近何回も聞くなあ。意味はわからないけど」

という状態になる必要があります。

この青→黄の段階で一番有効なのが**「音読」**です。

学校の授業は、勉強の3分の1だ

次に、黄→緑にしていく作業です。

「わからないものをわかるようにする」作業です。学校の授業や塾の授業は、この黄色の部分を担(にな)っています。

「わからないものを、わかるようにするのが勉強だ」というのは、勉強の全体像の3分の

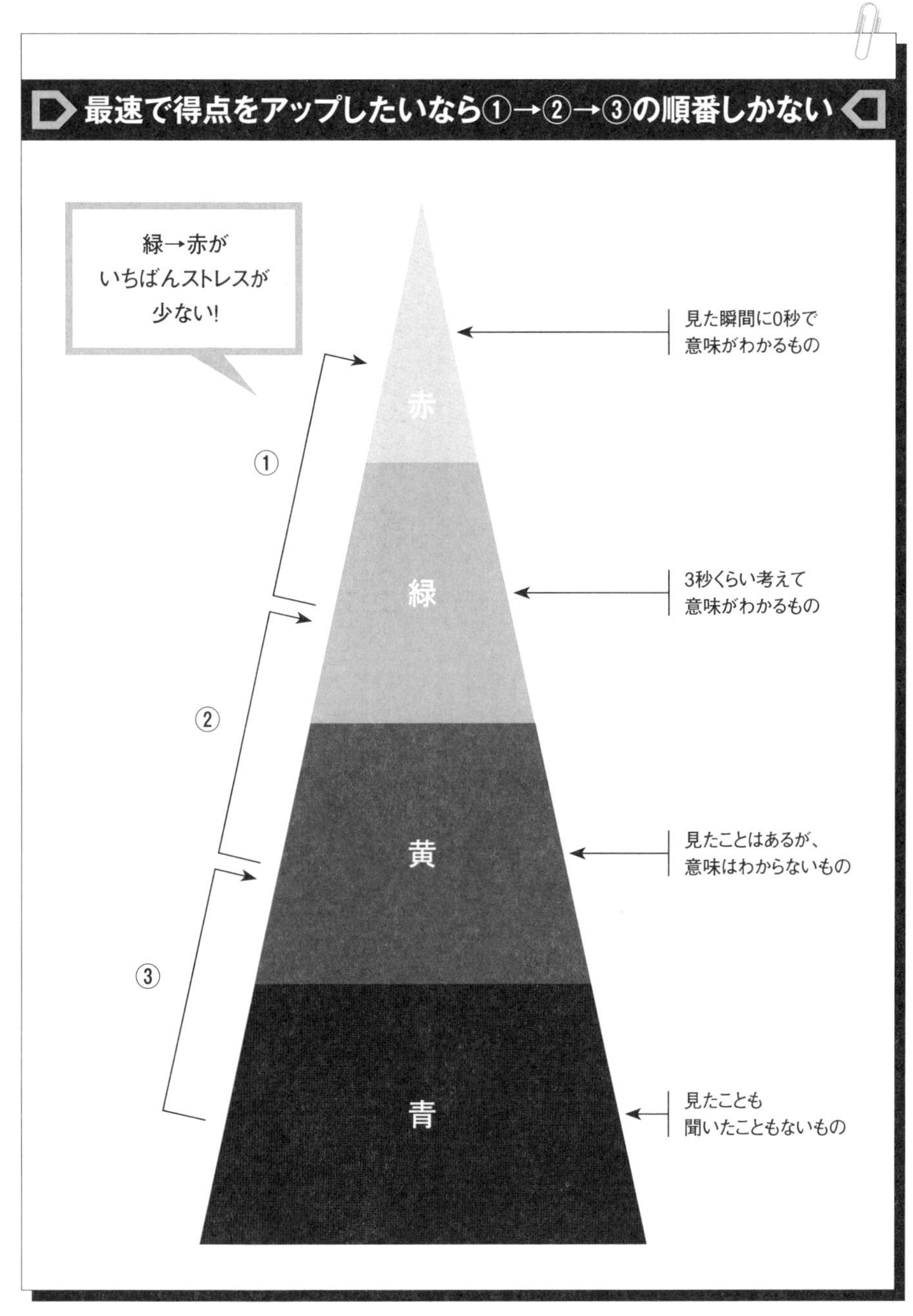

最速で得点をアップしたいなら①→②→③の順番しかない
緑→赤が
いちばんストレスが
少ない!
赤
緑
黄
青
①
②
③
見た瞬間に0秒で
意味がわかるもの
3秒くらい考えて
意味がわかるもの
見たことはあるが、
意味はわからないもの
見たことも
聞いたこともないもの

1しか、捉えていなかったわけです。
この段階で「微粒子がランダムに動く運動のことを、ブラウン運動という」とわかれば、**「ブラウン運動か。微粒子がランダムに動く運動のことだな」**ということが腑に落ちます。

次に、緑↓赤にしていく作業です。

「ブラウン運動か。えーっと、なんだっけ。あ、そうそう、微粒子がランダムに動く運動のことか」と、3秒くらい考えて思い出せるうろ覚えの状態が、緑の状態です。

ここから、見た瞬間に0秒でわかる状態にすると、完璧な記憶になるというわけです。

もっともラクなのは緑↓赤

一般に勉強は「青↓黄↓緑↓赤」の順番でやりますが、もっともストレスがかかるのは「青↓黄」です。見たことも聞いたこともないものを、馴染みのある状態にするのは大変です。黄↓緑の作業も、時間がかかります。

一番時間がかからず、成績に直結するのは、「緑↓赤」の作業です。ここは「瞬間記憶」の出番です。

とにかく、大量のうろ覚えのものをどんどん目に入れていけば、記憶に定着させることができます。

最速で得点を上げる勉強の順番

多くの受験生が「黄↓緑」に多くの時間を費やしています。それよりも大切なのは「緑↓赤」の作業です。

なので、取り掛かる順番としては、

(1) 緑↓赤
(2) 黄↓緑
(3) 青↓黄

の順番が正しいのです。こう勉強すると、最速で得点を上げることができるのです。

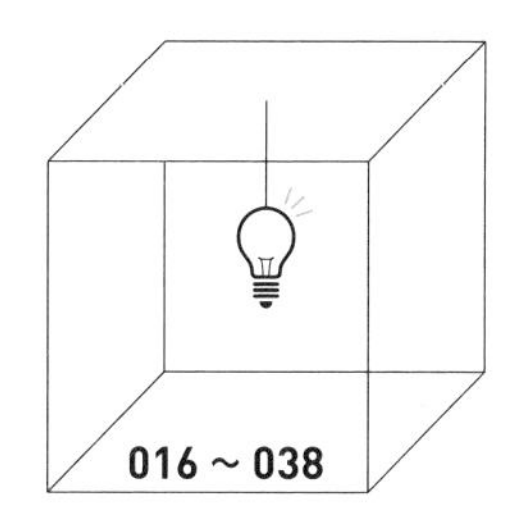

Chapter 2

やってはいけない暗記法

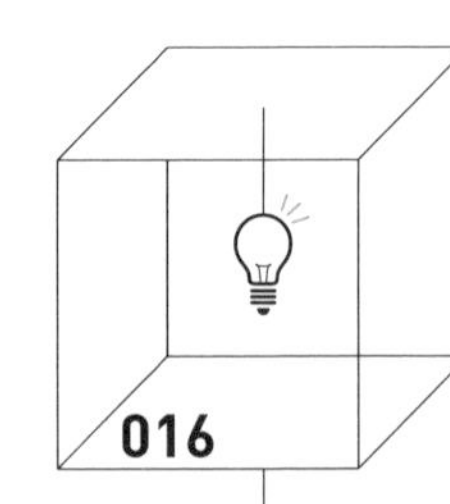

いきなり暗記しようとする

記憶のメカニズムを知ってから、暗記しようとする

「よし、暗記をするぞ」と、いきなり暗記をしようとする人がいます。

ダメです。その前に記憶のメカニズムを知って、暗記の天才になってから暗記をすれば、効率は上がります。

①記憶のメカニズムを知る
②暗記をする

というのが、正しい順番です。

もちろん「明日が試験だ」というのであれば、いきなり暗記をしなければいけません。

ですが、そうではない場合は、まず記憶のメカニズムを知ることが大切です。

にもかかわらず、毎日、何も考えずいきなり暗記をしている人がどれだけ多いことでしょうか。

まずは勉強法を学ぶ

記憶のメカニズムを知り、記憶のメカニズムにのっとった暗記をすることで、暗記はもっともはかどります。

勉強も同じです。**いきなり勉強を始めるのではなく、勉強法を知ってから勉強することで、効率が最大化されます。**

まずあなたがすべきことは、暗記をすることではなく、記憶のメカニズムを知ることなのです。

暗記する前に、脳のメカニズムについて理解しておこう

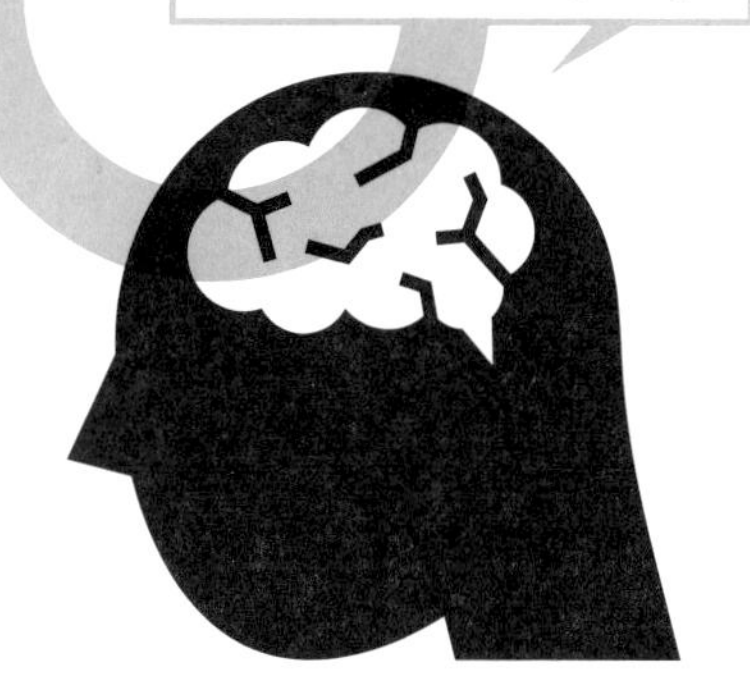

「あわよくば暗記できればなあ」と思っている

「本気で重要だ」と心の底から思っている

覚えられないのは本気じゃないから

そう、**人には「本気で重要だと思ったことは忘れない」という特徴があるのです。**

あなたは、自分の携帯電話の番号を覚えているはずです。本気で重要だと思ったから、覚えているのです。

本気で恐竜が好きなら、恐竜の名前は覚えます。

暗記が苦手な人の特徴は、「あわよくば覚えられたらなあ」くらいに思っていることです。**脳は、本気で重要だと思ったことは忘れないようにできています。**

「生まれつき記憶力には自信がなくて」という方も多いでしょう。

ですが「生まれつきの記憶力」というものが存在するのであれば、記憶力がいい人は、どうでもいいことも永遠に覚えていることになります。

記憶力がどれだけよかったとしても、どうでもいいことは忘れます。

「3年前の○月×日の夕ご飯はなんだったか?」と聞かれても、覚えている人はまずいません。でも、毎日夕食のレシピをブログで公開しているレシピ研究家の方であれば、覚えている可能性はあります。

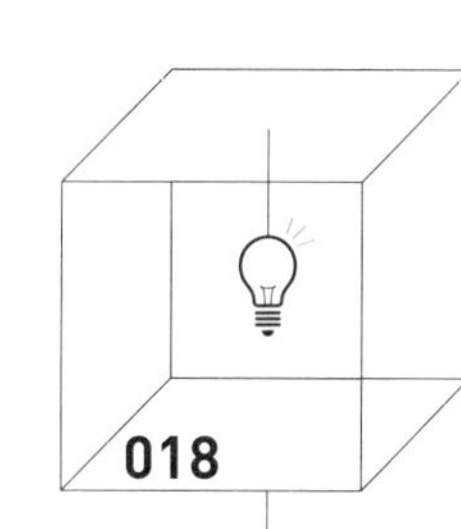

仕方がなく暗記をする

「自分の人生がかかっている」と思って暗記をする

脳は本気で大切だと思ったことは忘れませんが、どうでもいいと思ったことはすぐに忘れるようにできています。

車のナンバーでも、ただあなたの前を走っている車であればナンバーを覚えることはありません。

ぶつかって逃げた車があなたの前を走っていたら、そのナンバーは一瞬で暗記することができるはずです。

「別に試験に合格したって、人生は変わらないよな」と思っていたら、暗記することができなくなります。

「試験に合格したらモテモテになれて、お金持ちになって、バラ色の人生が待っている」と本気で思えば、暗記できます。

本気の人が、天才になれる

「こんなことを覚えたって、社会に出てから使うことはないんだよなあ」

こう思っている人は、暗記できないのは当然です。

暗記力を高めるためには、「自分の人生がかかっているんだ」と本気で思い込むことが大切なのです。

自分の人生がかかっていると本気で思えた場合のみ、人は暗記の天才になれるのです。

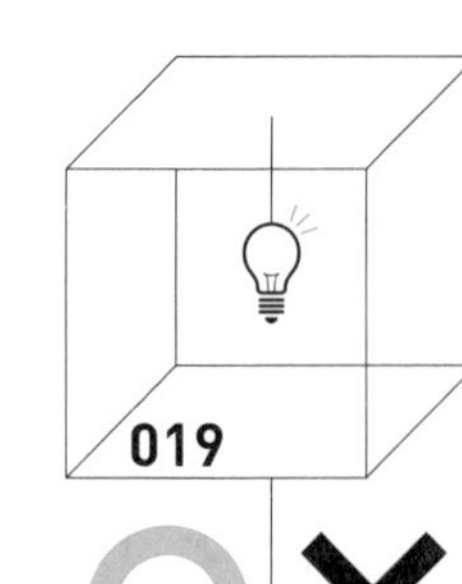

いつか復習しようと思っている

20分~1時間後に復習する

「エビングハウスの忘却曲線」という有名な曲線があります。左の図のものです。

これは記憶のメカニズムを知るためには、もっとも重要な曲線です。

「本気になったら、一発で覚えて一生忘れないのではないか」と勘違いする人がいますが、**本気になっても、脳はそもそも忘れるようにできています。**

なので、記憶するためには復習をすることは避けてとおれません。

では、どのタイミングで復習をすればいいのかというと、**覚えてから20分~1時間後**です。ちょうど半分忘れていて半分覚えているときに、もう一度記憶に定着させるのが効率的です。

テレビCMも20分ごと

テレビも、だいたい本編が20分経過するとCMが流れ、また本編が20分するとCMが流れるようになっています。

半分忘れたタイミングを狙って、広告を出してくるわけです。

同じCMを2回連続で流すより、20分後にもう一度流したほうが記憶に定着します。

同じように、**20分~1時間後にもう一度復習するのが一番いいのです。**

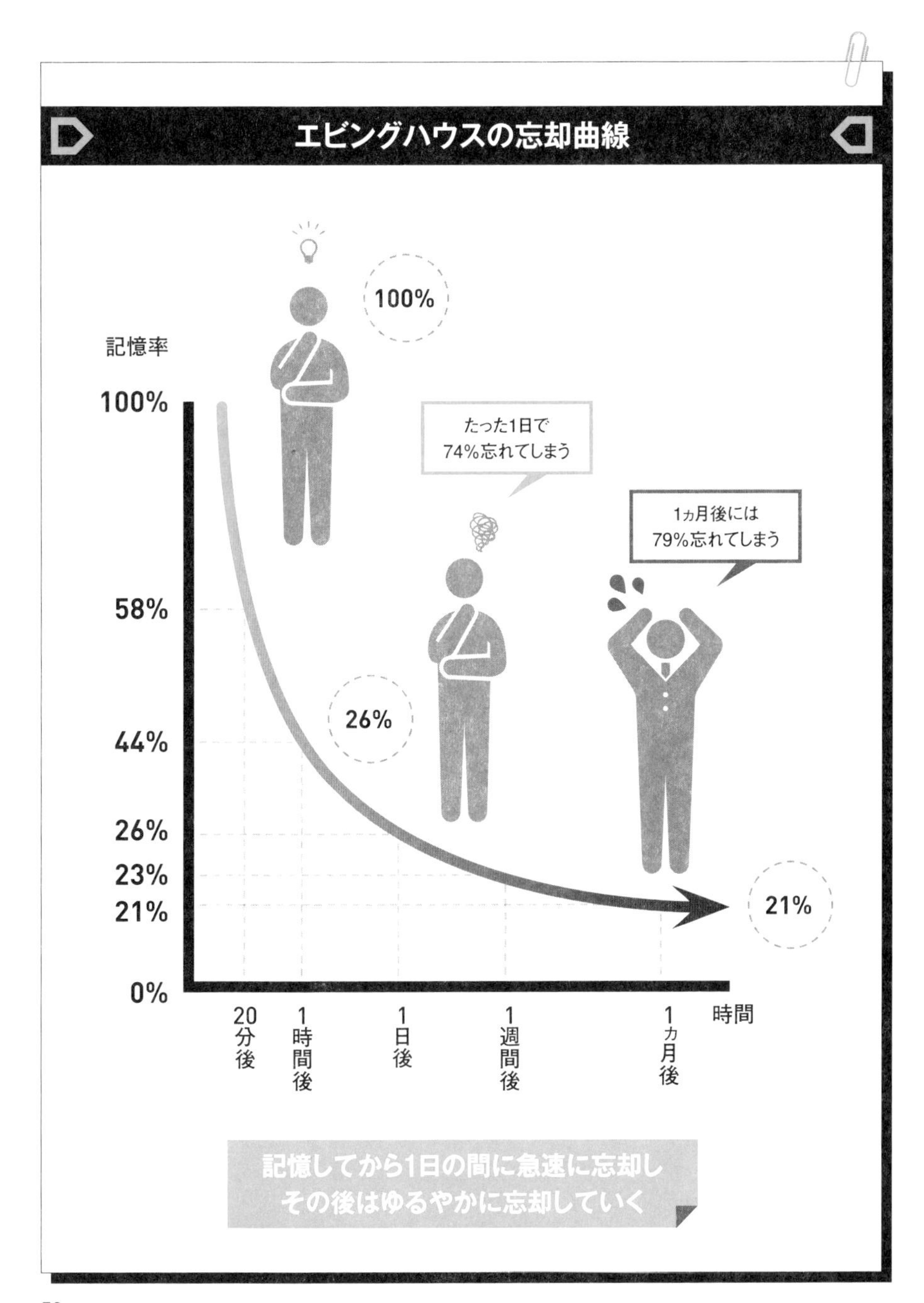
エビングハウスの忘却曲線
記憶率
100%
58%
44%
26%
23%
21%
0%
100%
たった1日で
74%忘れてしまう
1ヵ月後には
79%忘れてしまう
26%
21%
20分後
1時間後
1日後
1週間後
1ヵ月後
時間
記憶してから1日の間に急速に忘却し
その後はゆるやかに忘却していく

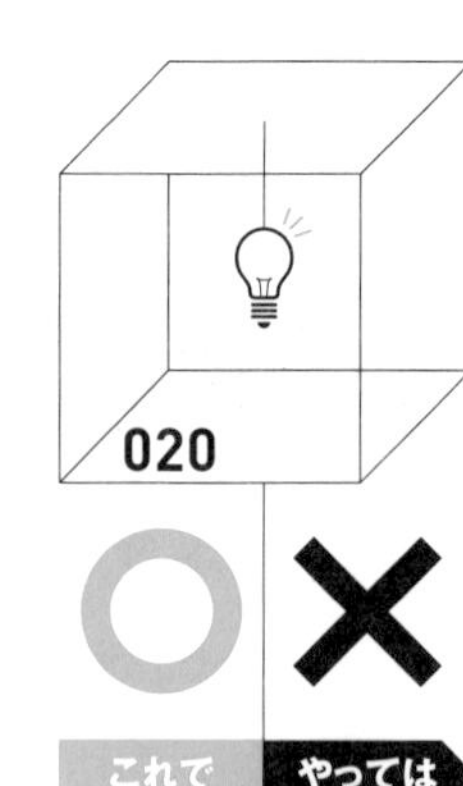

×やってはいけない！

書いて覚える

○これで天才に！

目で見て覚える

「何回も書かないと、覚えられないんです」と言う人がいます。

やってはいけません。

時間の無駄です。

一番暗記の効率が悪くなるのが、「書いて覚える」というやり方です。

小学生なら書いて覚える方法が効果的です。ひらがな、カタカナ、漢字などは「書いて覚える」が正解でした。

ですが中学生なら、もう日本語の読み書きはできるのですから、**「目で見て覚える」**にシフトしなければいけません。

小学校時代の正しかったことを、高校生になっても、いや、大人になっても引きずっているのは、意味がないことです。

目ならスピード6倍

たとえば、英単語を覚えるときに書いて覚えていたら、1単語につき6秒かかってしまいます。

目で見て覚えれば、1単語1秒です。

スピードは6倍になります。

書いて覚えたら1単語につき6秒。つまり1分間で10回しか復習できません。

目で見て覚えたら、1単語1秒で60回復習できることになります。

もっとも非効率な勉強法!

書いて覚える勉強法

書いて覚えるより効率は6倍!

目で見て覚える勉強法

1単語1秒なら60秒で60単語も!

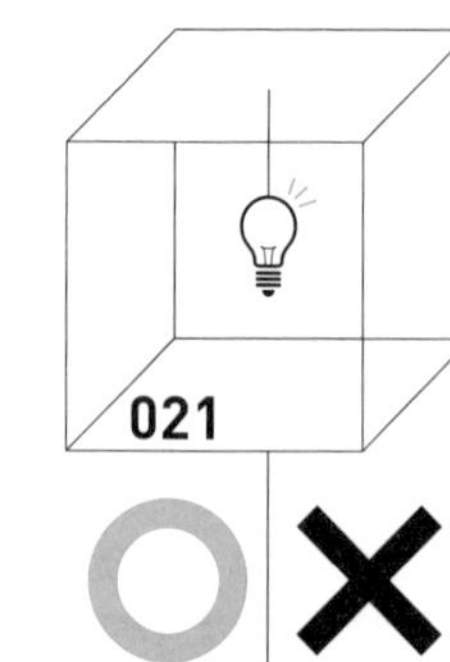

×やってはいけない!

机の前に座って覚える

○これで天才に!

歩き回りながら音読する

目で見て覚えることも効果的ですが、さらに広くいえば**「五感を使って覚える」**というのが、もっとも記憶に定着します。

目で見て、口で音読して、歩き回りながら覚える。

これが、もっとも効率的です。

私はこれを**「二宮金次郎式暗記法」**と名付けています。

二宮金次郎の銅像は、本を持ちながら歩いて、ブツブツ言いながら勉強している姿になっています。

重い薪を背負っていますが、これは自分に負荷をかけることでさらに五感を刺激して、暗記がはかどる効果があるのでは、と私は考えています。

手さげカバンをリュックに!

私はリュックサックやランドセルを背負って、ブツブツ言って歩きながら暗記をしたらさらに効果があると考え、受験時代は手さげカバンではなくリュックサックにして、塾に通っていました。

もし、あなたが手さげカバンで通学・通勤しているのであれば、それを**リュックサックに変えるだけで、暗記の効率そのものが上がるのです。**

五感と体を使って暗記しよう
机に座って無言で集中!
……………
勉強中はリュックサックで
●※△■☆●※……
二宮金次郎式暗記法で
五感を使って効率UP!

○ これで天才に！ × やってはいけない！

静かな場所で覚える

わざと雑音があるところで覚える

「勉強するためには、静かな場所が一番いいはずだ」

こう思っている人がいます。

違います。**わざと少し雑音があるところで勉強をするのが、もっとも効果的です。**

雑音をシャットアウトした瞬間に、人は集中状態に入るからです。

無音状態だと、逆に落ち着かなくなって集中できません。

もちろん、うるさすぎる場所で勉強しようとするのは、間違っています。適度な雑音が一番です。

以前、電車が通る線路沿いに住んでいたことがあるのですが、不定期に電車が通って集中が削がれるので、なるべく図書館や自習室に行って勉強をしていました。

音楽はNG

音楽を聴きながら勉強をするのは、もってのほかです。とくに日本語の曲は、歌詞が気になって集中できなくなります。

〝川のせせらぎ〟のような「α波が出て集中できますよ」という謳い文句の音楽も試したのですが、逆にα波CDがないときに集中力が落ちるという習慣になりかねませんので、オススメしません。

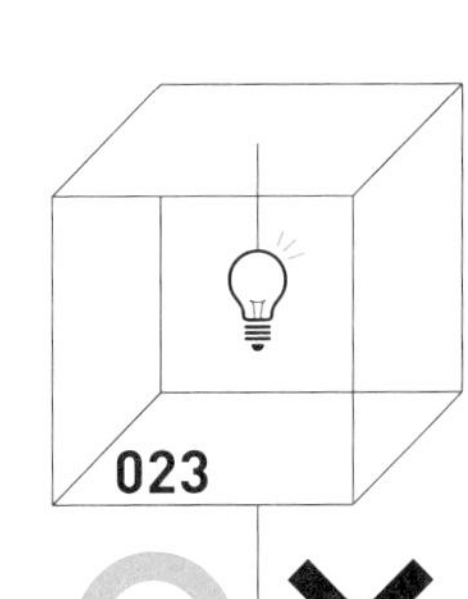

×やってはいけない！

何も考えずに電車の席に座る

○これで天才に！

連結部分の隣を狙って電車の席に座る

通学や通勤中、何も考えずに電車に乗っている方がほとんどです。「座れたらラッキー」くらいしか考えていません。

電車は30分、1時間と、まとまった勉強時間が取れる貴重な乗り物です。

電車という空間を「適度な雑音がある勉強部屋」とすることができれば、時間を有効活用できるわけです。

では電車に乗るときは、どこの座席に座るのがいいのでしょうか。

答えは、**「連結部分の隣の席」**です。この席は横に机のようにモノを置ける場所もあるので、勉強には最適です。

それでいて、人の会話よりもガタンゴトンという車輪の音が耳に入るので、集中するための雑音としてはもってこいです。

ホームで待つ場所も要注意

「電車に乗るときの特等席」がわかれば、ホームで並ぶ場所も決まってきます。

向かって右に連結部分がある車両の場合は、一番右に並びます。

向かって左に連結部分がある車両の場合は、一番左に並びます。

これを習慣づけるだけで、電車は最高の勉強部屋に変わるのです。

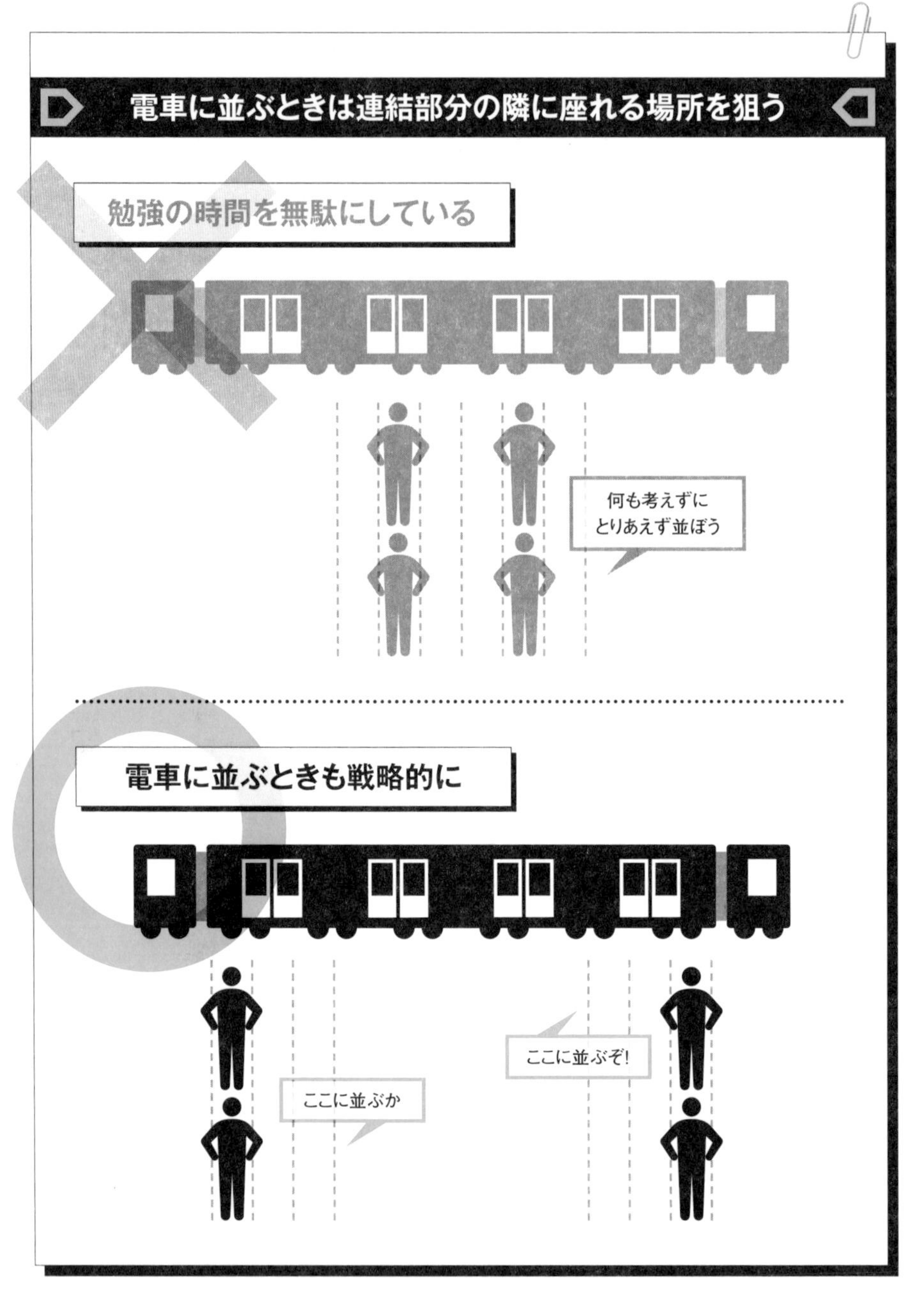
電車に並ぶときは連結部分の隣に座れる場所を狙う
勉強の時間を無駄にしている
何も考えずに
とりあえず並ぼう
電車に並ぶときも戦略的に
ここに並ぶぞ!
ここに並ぶか

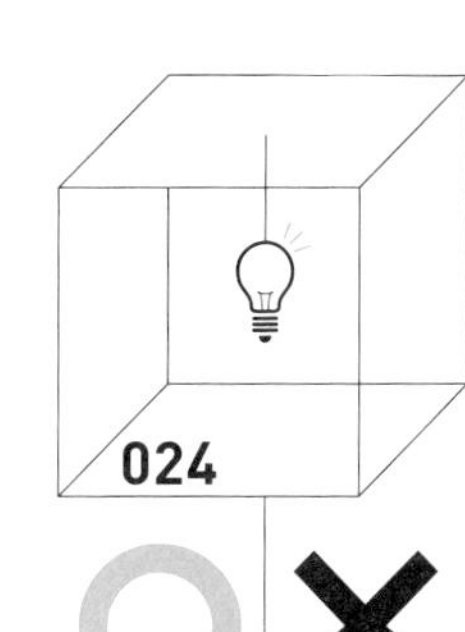

×
やってはいけない!

一発で覚えようとする

○
これで天才に!

3回以上、繰り返し見て覚えようとする

「瞬間記憶」を、一発で見てすべてを暗記することを指していると思う方がいます。たとえ一発で覚えても、それは一発で忘れる記憶と同義だと考えてください。

「脳は、繰り返されたものを大切なものだと感じる」という特徴があります。

なので**「少なくとも3回は見て覚えるのが、瞬間記憶である」**と考えてください。

記憶には長期記憶と短期記憶があります。

短期記憶…20秒以内
長期記憶…20秒以上

基本的にテレビのCMは15秒、ラジオのCMは20秒です。**短期記憶に訴え（うった）、何度も繰り返すことで、長期記憶に移していくのが正しい記憶法です。**

なので、一度見て覚えて忘れないことを目指すより、3回以上見て忘れないことを目指したほうがいいのです。

ジャブKO法をやってみよう

「倒すのではない。当てるんだ。そうすれば勝てる」

という、ボクサーのモハメド・アリの言葉があります。

一発の右ストレートで倒すのではありません。何度もジャブを打つことで相手を倒していくのです。

ストレートは空振りする可能性が高いですが、ジャブのほうがより確実に当てることができます。


とにかくジャブを当てていくことが、暗記の必勝法です。私はこの方法のことを**「ジャブKO法」**と呼んでいます。

では、どのくらいジャブを打つのが瞬間記憶にはいいのかというと、

①3回繰り返し見て覚える→大天才レベル
②9回繰り返し見て覚える→かなりな天才レベル
③21回繰り返し見て覚える→天才レベル

という基準があると考えてください。

「1回見ただけで覚えたよ」という超天才の人もいるかもしれませんが、そういう人は、1ヵ月後に忘れているケースも多いです。

記憶への定着を考えたら**「最低3回は見て覚える」**というのが成功イメージです。

なぜ21回なのか

なぜ3回・9回・21回かを説明します。

「人は3回言われて、やっと本当だと信じる」と言われています。

9は、その3がさらに3倍になった数です。

なので、より、

「これは大切なことなんだな。記憶しておかなければいけないぞ」


と脳に信号を送ることができます。

21は、「潜在意識は21日で切り替わる」と言われたり、タロットカードのザ・ワールド(完璧)というカードが21番だったりと、完全なる世界をつくり上げるための数字だと考えられているからです。

21回繰り返して覚える「ジャブKO法」が暗記の必勝法

1回で覚えたつもりになっても
1ヵ月後には忘れている

21回の「瞬間記憶」を繰り返して
記憶に定着させていく

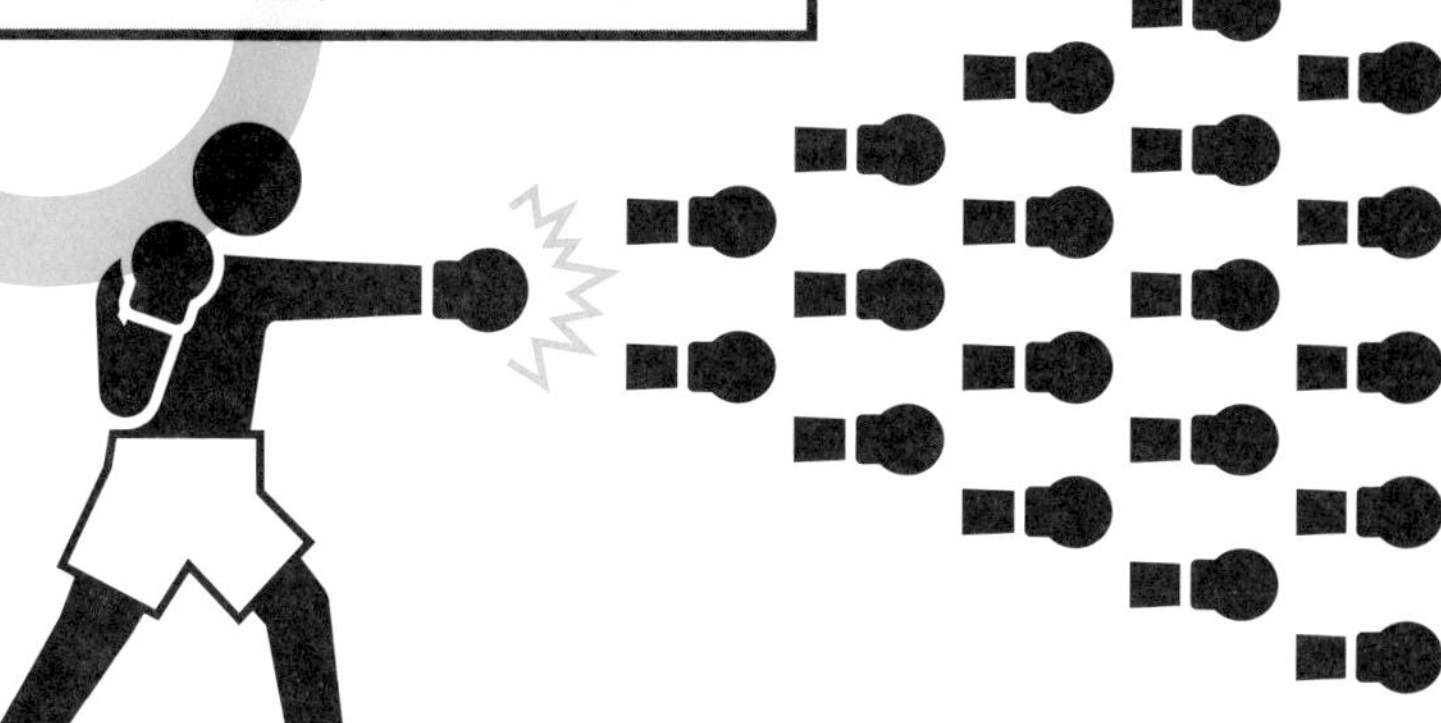

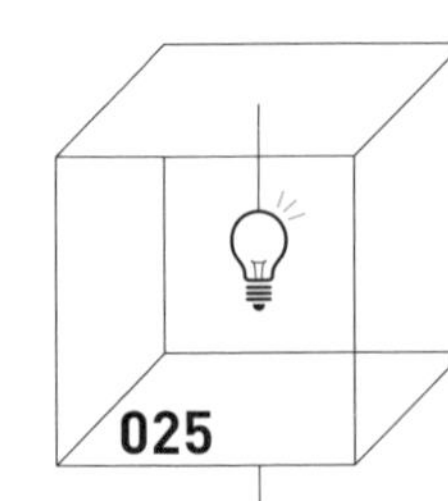

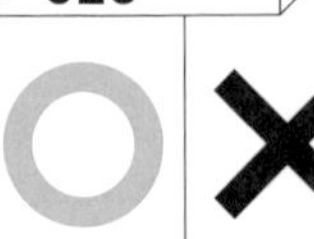

×じっくり覚えようとする
○1秒で何度も眺める

「じっくり覚えたほうが頭に入る」と、教科書をじっと眺める人がいます。

やってはいけません。時間の無駄です。じっくり覚えているヒマがあったら、次のページに進んだほうがいいです。

英単語を覚えるときも、1単語につき、じっくり10回、20回と書いて覚える人がいますが、最悪です。**1単語1秒で、どんどん進みましょう。**そして、1200単語以上（20分以上）眺めたあとに、また最初に戻って復習するのです。

拙著『1分間英単語1600』（KADOKAWA）では、1600単語（27分）にしています。20分〜1時間で復習をするために、この単語数にしているわけです。

覚えるな、忘れろ

そのときに大切なことは、**「覚えようとしない」**ということです。覚えようとしたら、失敗して忘れます。どんどん「忘れよう」としながら、1単語1秒で眺めていきます。

そうすると、忘れようとしながら、失敗して覚えていく感覚をつかめます。**覚えようというモチベーションを0にして、忘れようというモチベーションを100にすることで、1単語1秒でこなすことができるのです。**

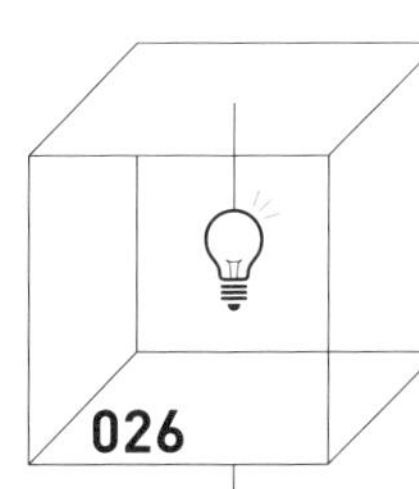

いっぺんに覚える

分けて覚える

「1単語1秒で、目で見て覚えたら、英語の綴り（スペル）が覚えられないじゃないか」と言う人がいます。

はい。**綴りは無視してください。**意味を覚えることと、綴りを覚えることは、分けて考えてください。

やってはいけない暗記術の1つが、いっぺんに覚えようとすることです。

英単語を覚えるときに、一度に意味と綴りを覚えようとするのは、遅くなるだけです。

最初に英単語の意味だけを覚えて、そのあとに綴りだけを覚えればいいのです。

日本語も、同じです。「憂鬱（ゆううつ）」「薔薇（ばら）」という漢字は、読めますが、書けませんよね？

まず読める状態をつくってから、綴りを覚えたければ、書いて覚えればいいのです。

綴りは「書け」と出題されるので、書いて覚えるしかありません。

すでに意味がわかっている状態なので、数回書けば覚えられるはずです。

いっぺんに覚えたら、逆に遅い

いっぺんに覚えたほうが早いのではないかと思っている人がいますが、いっぺんに覚えていると、スピードが遅いので、時間切れでゲームオーバーになってしまう可能性もあります。

・目で見て、意味だけ1600語覚えた
・綴りも同時に覚えようとして、最初の1200語しか覚えられなかった

この両者の場合、前者のほうが時間対効果は高いです。

試験は、時間との闘いだからです。

いくら正確に英単語の綴りが書けたとしても、そのぶんだけ覚えている英単語の量が少なかったり、その時間だけ英熟語を覚えている量が少なかったら、入試本番で得点ができません。

まず英単語の意味だけを覚えて、余力があったら、あとから綴りも覚えるというのが、正しい時間配分なのです。

英単語の場合、意味と綴りは「分けて」覚えよう

「書け」問題

書いて覚える!

「読め」問題

見て覚える!

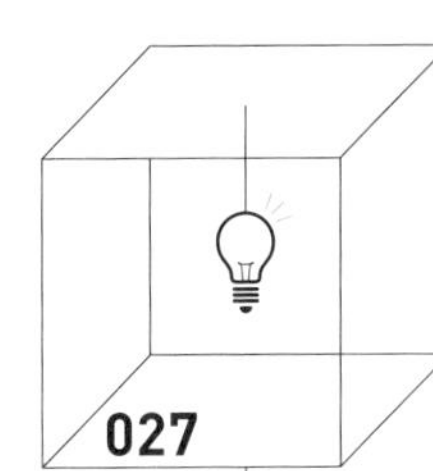

やってはいけない!

無臭の部屋で暗記をおこなう

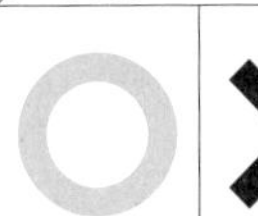

これで天才に!

アロマオイルを使った空間で暗記をおこなう

五感をフルに使うために、アロマオイルを焚きましょう。

嗅覚を刺激することができます。

ペパーミント、ローズマリー、レモングラス、グレープフルーツが、集中力を高めるのに適しています。

教科ごとに香りを変える

英単語のときはグレープフルーツ、日本史のときはレモングラスなど、教科によって香りを変えるのがオススメです。

試験直前にグレープフルーツの香りをかげば、英単語の記憶と結びついて、思い出すこともできるようになるからです。

香りを記憶と結びつけるためにも、アロマオイルを焚くのは効果的です。

五感を刺激して学ぶ

暗記をすることも、アロマオイルがあるだけでテンションが上がります。

アロマオイルを焚いた部屋で、リュックサックを背負って、歩き回りながら音読をすることで、五感をフルに使いながら暗記をすることができるのです。

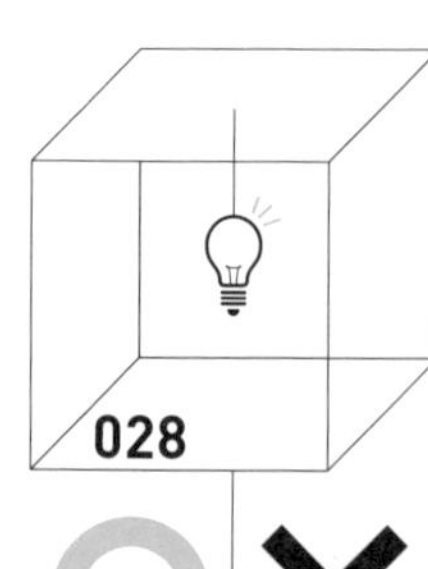

× 集中力がある人とない人が存在すると思っている

○ 誰でも集中できる限界は90分だと知っている

「私は集中力がないんです」

と言う人がいます。

違います。**「集中力」という言葉自体が、じつは意味がない言葉なのです。**

私も便宜上、「集中力」という言葉を使うことはありますが、集中力がある、集中力がない、という分け方は間違っています。

・**集中状態に入っている**
・**集中状態に入っていない**

と分けるのが正しいです。

集中力がないという人でも、テレビゲームをしているときには集中していますし、集中力がある人でも、強い騒音のある状態ではなかなか集中できないからです。

集中は90分が限界

脳科学的に、人間が集中できる時間は90分です。

天才でも凡人でも、90分が集中の限界なのです。

大学の授業、予備校の授業は90分です。集中の限界が90分だからです。

小学校は、その半分の45分が1コマに設定されています。

ですから、**集中が苦手なら、45分を1コマとして勉強するのがオススメです。**

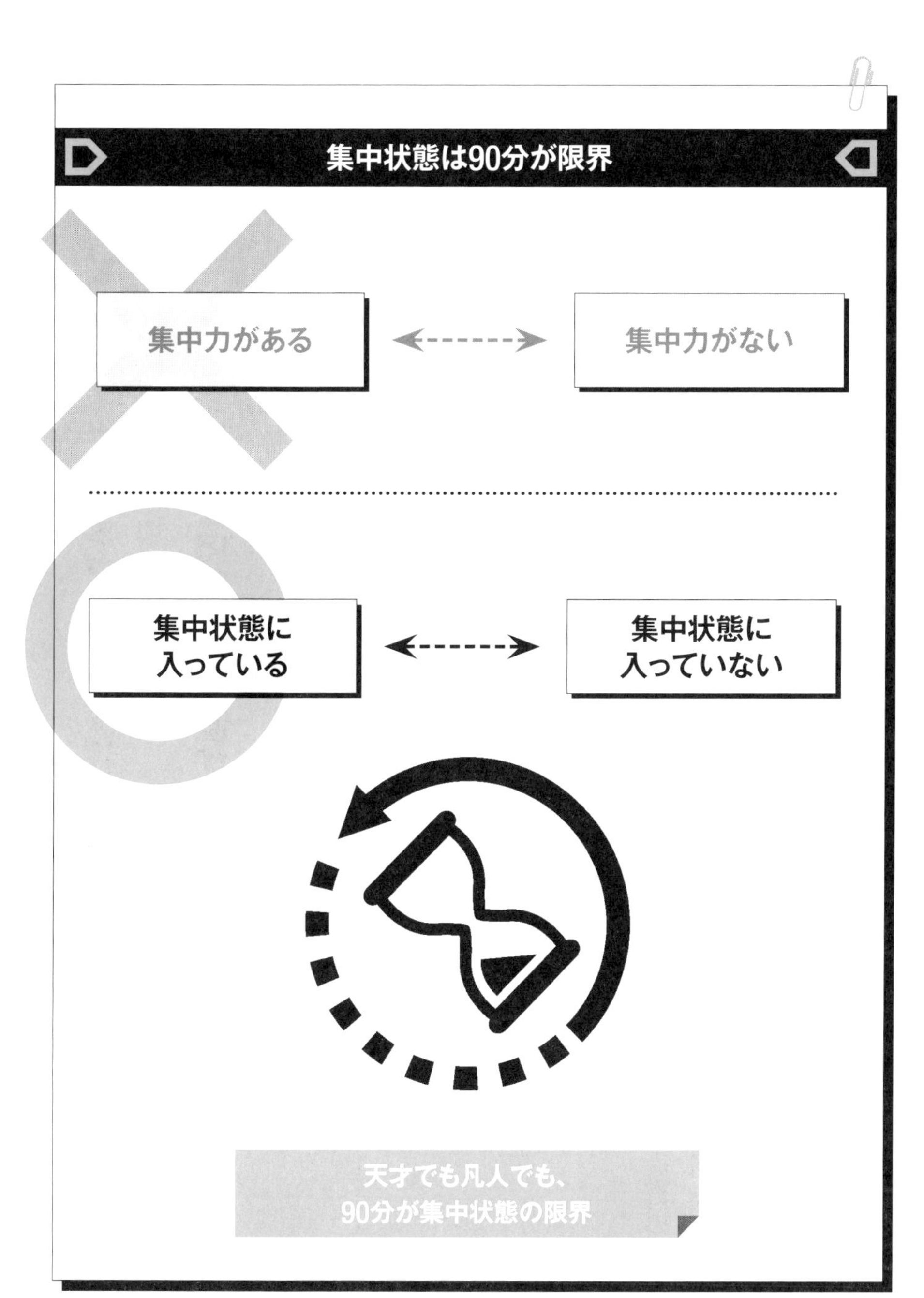
集中状態は90分が限界
集中力がある
集中力がない
集中状態に
入っている
集中状態に
入っていない
天才でも凡人でも、
90分が集中状態の限界

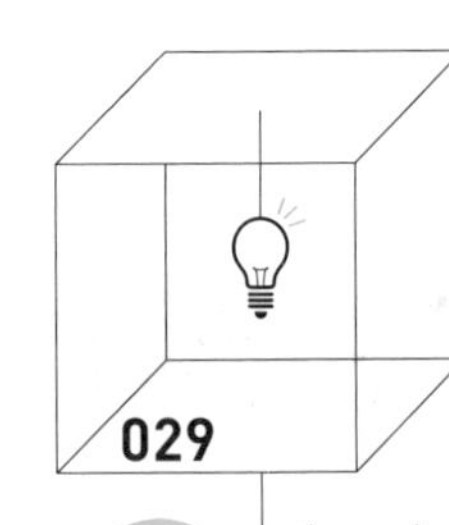

ずっと集中していなければダメだと思っている

集中は15分ごとの波だと知っている

ちょうど集中の波が途切れるときにCMを入れることで、番組を最後まで見てしまうようになるわけです。

隙間時間の正体

「隙間(すきま)時間を活用しましょう」と世間では言われます。

これは言い換えれば、

「15分以内の、集中の波が途切れる1回目の波が来る前に、1つのことをしてしまいましょう」

ということなのです。

「45分ずっと集中していられない。私はダメなのではないか」

と考える人もいるかもしれません。

「継続してずっと集中する」と考えてはダメです。

「15分ごとの波を乗り越える」と考えてください。

集中は、15分ごとに途切れます。誰でも、15分経つと飽きるのです。

その波を、2回持ち直すと45分、5回持ち直すと90分になると考えるのです。

テレビ番組も、だいたい15〜20分でCMが入ります。

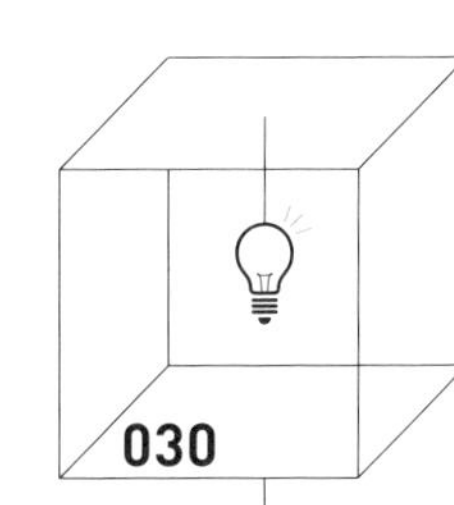

暗記中に、おやつを食べてはいけないと思っている

「朝バナナ」と「昼チョコ」で暗記をはかどらせる

「暗記をしながらおやつを食べるなんて、けしからん！　マジメに勉強をしろ」と言う人がいます。

これも、昔の常識です。

以前は、「運動中に水を飲むなんて、我慢が足りない」と言われましたが、いまは「水分補給をしなければいけない」と常識が変わっています。

同じように、**暗記をするときには糖分を脳に送ったほうが効果的です。**

とはいえ、スナック菓子をボリボリ食べながらでは、ブツブツ言いながら勉強をするのに邪魔になります。

暗記のときには、チョコがオススメです。

チョコレートには、記憶力・集中力を高めるテオブロミンという物質が含まれているからです。サイズも小さいのですぐ食べることができ、最速で糖分を脳に送れます。

朝はバナナを食べる

朝はバナナがオススメです。バナナには、セロトニンという脳内物質をつくるトリプトファンという成分や、その合成を手助けするビタミンB6が含まれるからです。

セロトニンは、短期記憶を長期記憶に落とし込む役割があると言われているのです。

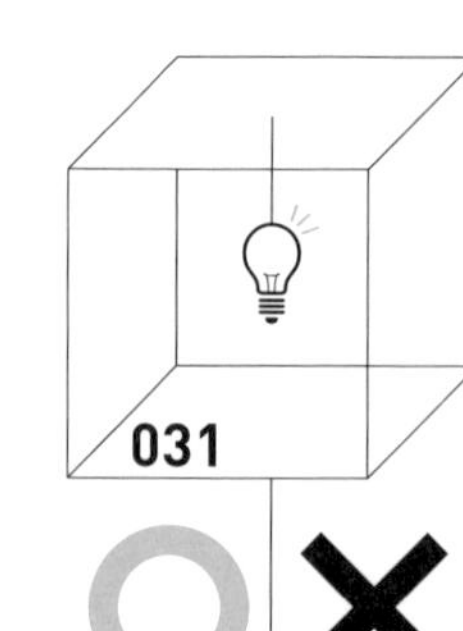

✕ やってはいけない!

記憶には1種類しかないと思っている

〇 これで天才に!

記憶には4種類あることを知っている

記憶は次の4種類あります。

①短期記憶
②長期記憶
③単純記憶
④イメージ記憶

記憶は「短期記憶」と「長期記憶」の2つに分けられます。

短期記憶は20秒以内の記憶。長期記憶は、20秒以上の記憶です。

人が一度に記憶できる数字は「5～9ケタ」と言われます。20秒以内の記憶なので、短期記憶に分類されます。

長期記憶は20秒以上前のことで、いまでも記憶には4種類あります。多くの人がこのことを知らないのです。

これを知らないで暗記をしようというのは、暗闇のなかで、手探り(てさぐ)りで暗記をするようなものです。

記憶の4種類を知った瞬間に、暗記に対する苦手意識はなくなっていくのです。

時間軸で2つに分ける

「分けることは、わかること」です。

記憶を4種類に分け、それぞれを攻略していくことで、暗記が得意なあなたに生まれ変わることができるのです。

覚えている記憶のことです。

あなたは自分の名前は覚えているでしょう。長期記憶に入っているから、20秒以上前のことを覚えているのです。
・短期記憶＝20秒以内
・長期記憶＝20秒以上
と覚えてください。

記憶のための2ステップ

記憶の2ステップは、
（1）知らない事象を短期記憶に入れる
（2）短期記憶を長期記憶に移していく
ということなのです。

いま自分は（1）の「まったく知らない事象を短期記憶に入れて」いるのか、（2）の「短期記憶を長期記憶に移して」いるのか、を理解した状態で暗記できれば、記憶の天才として、暗記をしていることになるのです。

記憶のための2ステップ

ステップ1

まったく知らない事象を
短期記憶に入れる

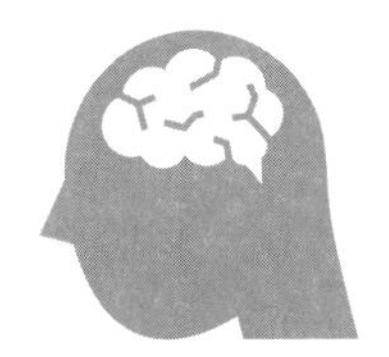

ステップ2

短期記憶を長期記憶に
移していく

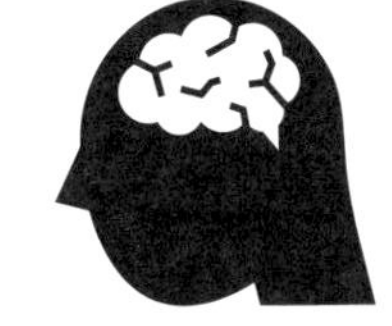

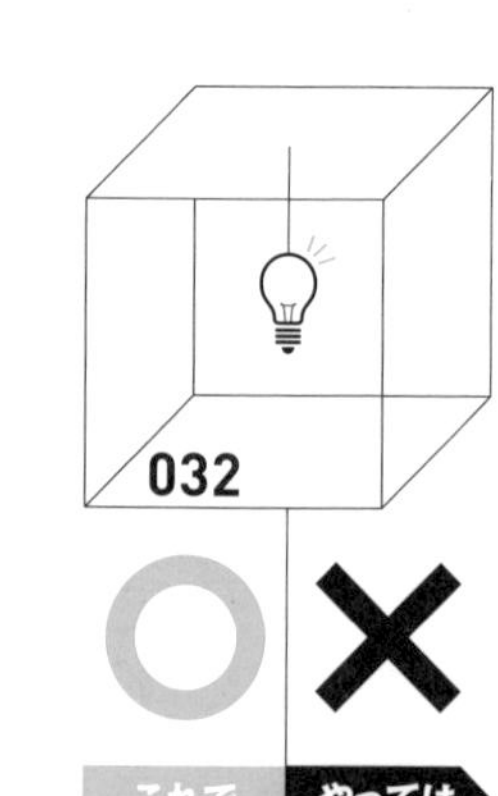

×やってはいけない!

「長期記憶」には1種類しかないと思っている

○これで天才に!

「長期記憶」には2種類あると知っている

エビングハウスの忘却曲線にしたがって、忘れていったということです。

イメージで記憶できる

もう1つの長期記憶が「イメージ記憶」です。「エピソード記憶」と呼ばれることもあります。

「家族で花火大会に行った」

「恋人と遊園地に行った」

という記憶は、繰り返されたわけではありませんが、覚えているはずです。

エピソードと一緒に覚えていることから、「エピソード記憶」と言われるわけです。

長期記憶には2種類あります。

①単純記憶

②イメージ記憶

1つめの長期記憶が「単純記憶」です。別名「単純反復記憶」とも呼ばれます。意味をそのまま覚えることから、「意味記憶」とよばれることもあります。

「犬＝dog」や「猫＝cat」など、**何度も繰り返して、覚えている状態ができるのが単純記憶です。**

普段なかなか使わない漢字は、いつか忘れます。

一度は長期記憶に入ったけれども、その後、

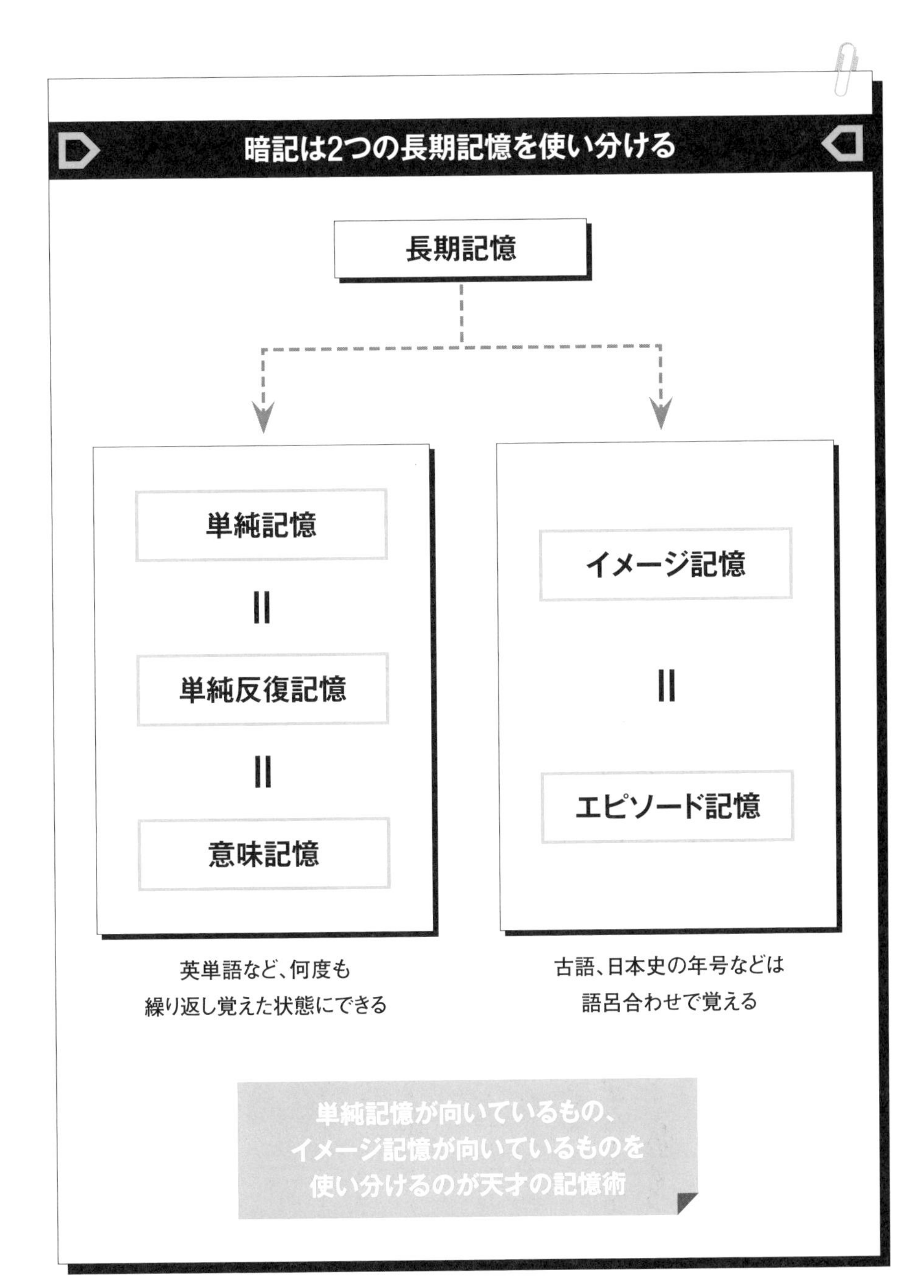
暗記は2つの長期記憶を使い分ける
長期記憶
単純記憶
=
単純反復記憶
=
意味記憶
イメージ記憶
=
エピソード記憶
英単語など、何度も
繰り返し覚えた状態にできる
古語、日本史の年号などは
語呂合わせで覚える
単純記憶が向いているもの、
イメージ記憶が向いているものを
使い分けるのが天才の記憶術

イメージ記憶は、その名のとおり、イメージとともに覚えている記憶です。

自分が直接体験しなくても、イメージさえ浮かぶようになれば、覚えることができます。

エピソードはない場合もある

ちなみに私は、エピソード記憶という言葉は使わずに、イメージ記憶という言葉を使うようにしています。

なぜなら、イメージ記憶には、

（1）エピソードあり
（2）エピソードなし

の2種類があるからです。

物語とセットになっていなくても覚えられるものがある以上、イメージ記憶という呼び名に統一したほうが、暗記がはかどります。

というのも、「エピソードがないから覚えられない」という言い訳をなくす必要があるからです。

語呂合わせはイメージ記憶

イメージ記憶は、エピソードがあればあるに越したことはないですが、イメージがあるだけでも覚えられますので、上手に使っていきましょう。

たとえば語呂(ごろ)合わせは、エピソードがあるものもあれば、イメージだけのものもあるので、典型的なイメージ記憶といえます。

長期記憶には「単純記憶」と「イメージ記憶」があり、覚える対象によって、この2つに分けながら覚えていく。

これが暗記の天才になるための必勝法なのです。

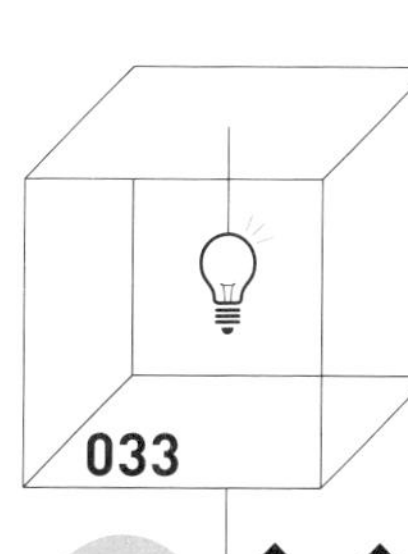

✕ 単純記憶よりもイメージ記憶が優れていると思っている
○ 覚える対象によって、単純記憶とイメージ記憶を使い分ける

「単純記憶とイメージ記憶であれば、イメージがあるぶんだけ記憶が鮮明になるはずだから、イメージ記憶のほうが優れている」

と勘違いしている人がいます。

違います。**覚える対象によって、単純記憶とイメージ記憶を使い分ける**、というのが正解です。

単純記憶で覚える分野は、

・語学分野（英単語・英熟語・英文法）
・歴史分野（日本史・世界史・地理・倫理・政治経済）

です。

とくに単純記憶は、「1対1対応」に向いています。 英単語なら、1つの英単語につき、1つの意味が一番覚えやすいです。

問：「鎌倉幕府を開いたのは誰ですか？」
答：「源頼朝」

このような一問一答形式で覚えることに、単純記憶は向いています。

1対1対応はスピードが命

このときの必勝法は、いかに1単語1秒にしていけるか？　1問1秒にしていけるか？

ということです。

繰り返した回数が多ければ多いほど、太い記憶になります。

紐が何重にも巻きついて、太くなっていくような感覚を持ってください。

何度も復習することによって、記憶の糸を太くしていくのが単純記憶です。

逆に、イメージ記憶で覚えるのは、

・古文単語

・歴史の年号

です。

1対1対応であれば、単純記憶がいいですが、1対多対応であればイメージ記憶がいいでしょう。

古文単語は1つの古文単語に2～3つの意味がありますので、語呂合わせを使ってイメージ記憶で覚えるのが正解です。

数が限られるものもイメージで

また、**数が膨大にならないものに関しては、イメージ記憶がオススメです。**

たとえば歴史の年号は、覚えるべき年号は多くても約1000です。

古文単語も、1000は覚えなくていいので、イメージ記憶がいいというわけです。

記憶を使い分ける

逆に、英単語は3000、5000と覚えるわけですから、語呂合わせを覚えている時間はありません。

歴史の年号以外も、5000以上はありますので単純記憶です。

・単純記憶に適しているもの……1対1対応、覚える数が多い

・イメージ記憶に適しているもの……1対多対応、覚える数が少ない

このように分けることによって、暗記をするときにも、迷っている時間をゼロにできるのです。

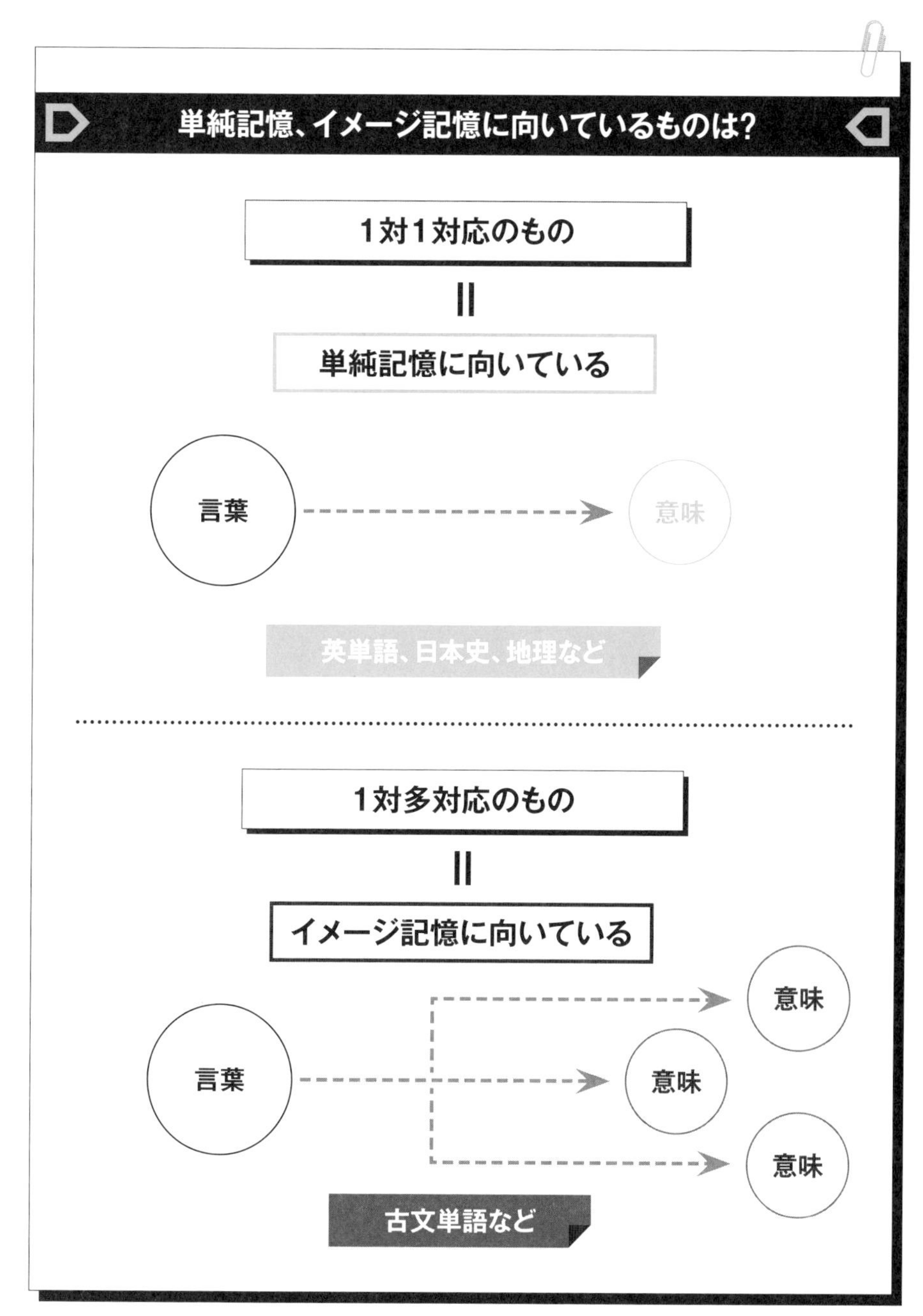
単純記憶、イメージ記憶に向いているものは?
1対1対応のもの
=
単純記憶に向いている
言葉
意味
英単語、日本史、地理など
1対多対応のもの
=
イメージ記憶に向いている
言葉
意味
意味
意味
古文単語など

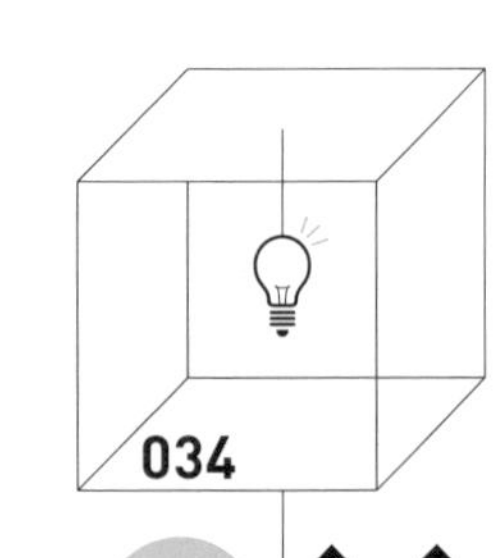

やってはいけない！

古文単語を、語呂合わせを使わずに覚える

これで天才に！

古文単語は、語呂合わせで覚える

古文単語は、もっとも語呂合わせに向いています。いや、**「語呂合わせ以外で覚えてはいけない」のが古文単語です。**

1対多対応であるだけではなく、「違和感が必要」なのが古文単語だからです。

「やがて」という古文単語が出てきたら、これが古文単語だという違和感がなければ、現代語の「やがて」という意味に訳してしまいます。実際は、「やがて」というのは、「そのまま」「すぐに」という2つの意味がある古文単語です。

語呂合わせとしては、

「矢が手に刺さり、『そのまま』『すぐに』病院へ」

と覚えます。

「文脈によって、そのままという意味なのか、すぐにという意味なのかを判断しなさい」という問題なのに、古文単語だと気づかなければ間違ってしまいます。

イメージしながら、覚えよう

「やがて」に傍線(ぼうせん)が引かれ、意味を次の3つから選びなさいという問題が出たとします。

（1）そのまま
（2）すぐに
（3）しばらくしてから

まず（1）か（2）かに絞ることができるのが、語呂合わせの威力です。

「うしろめたし」も古文単語です。「気がかりだ」という意味になります。「うしろ目、足し算、気がかりだ」と覚えます。

後頭部に目があって、後頭部の目で足し算をするのは、気がかりだなあと思いながら覚えれば、記憶できるのです。

古文単語は語呂合わせが正解だ

「一見すると現代語だが、じつは古文単語で、現代とは違う意味があるもの」が出題されます。

知らないことにさえ気づけないものは、語呂合わせを使ってわざと違和感を持たないと、解答できないのが古文の試験です。

「古文単語は、語呂合わせで覚える」というのが、正解なのです。

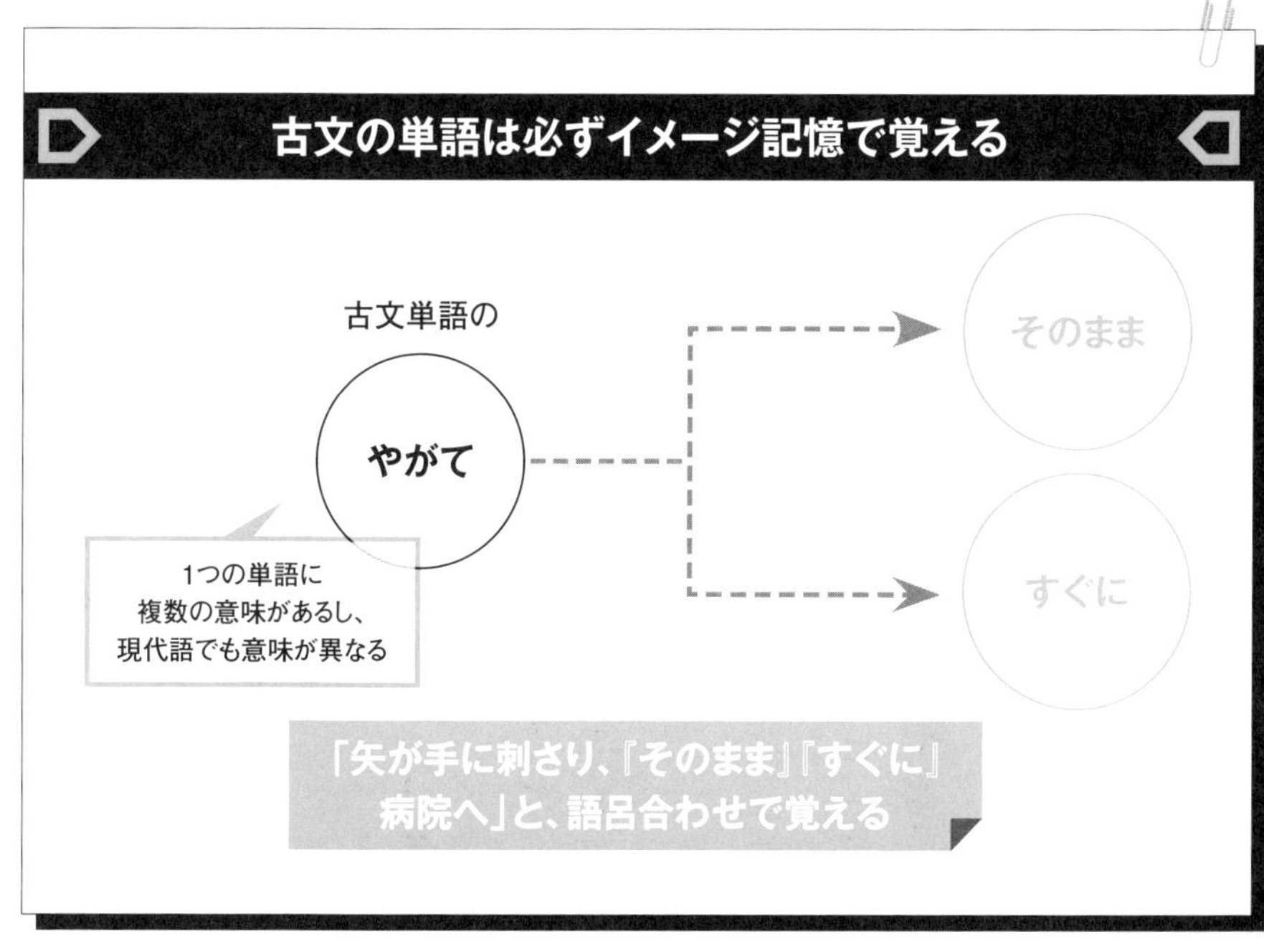

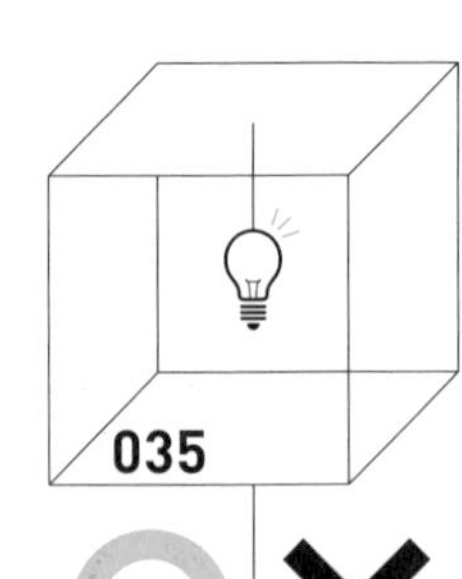

頭のなかだけで考えて、イメージ記憶をする

「プリクラ記憶法」を使って、イメージ記憶をする

「よし。頭のなかでイメージ記憶をしよう」と、目をつぶってイメージを思い浮かべる訓練をする人がいます。

やってはいけません。

イラストを描いて、それを眺めるのが一番記憶に定着します。

イメージ記憶は、インパクトがあればあるほど長期記憶に定着します。

「小学生のときに、花火大会を家族で見ていて、夢中になりすぎて転んでドブに落ちて大ケガをした」

という思い出があれば、インパクトが強いので、大人になっても忘れません。

とくに長期記憶に残りやすいのは、自分が登場人物になっているシーンです。 怪我をしたのがあなたであれば長期記憶に残りやすいですが、あなたの友人がケガをしたというシーンは、あまり覚えていないはずです。

イメージは自分を主人公にする

なので、イメージ記憶をするときには、**「自分を主人公にしたイラストを描く。そして、何度も眺める」**のが一番いいです。

たとえば「１５４３年、鉄砲伝来」を覚えるときの語呂合わせは、「鉄砲伝来、１発ゴツン、尻から３発！」です。

語呂合わせは自分を主人公にしたイラストに

1543年、鉄砲伝来

鉄砲伝来、1発ゴツン

尻から3発

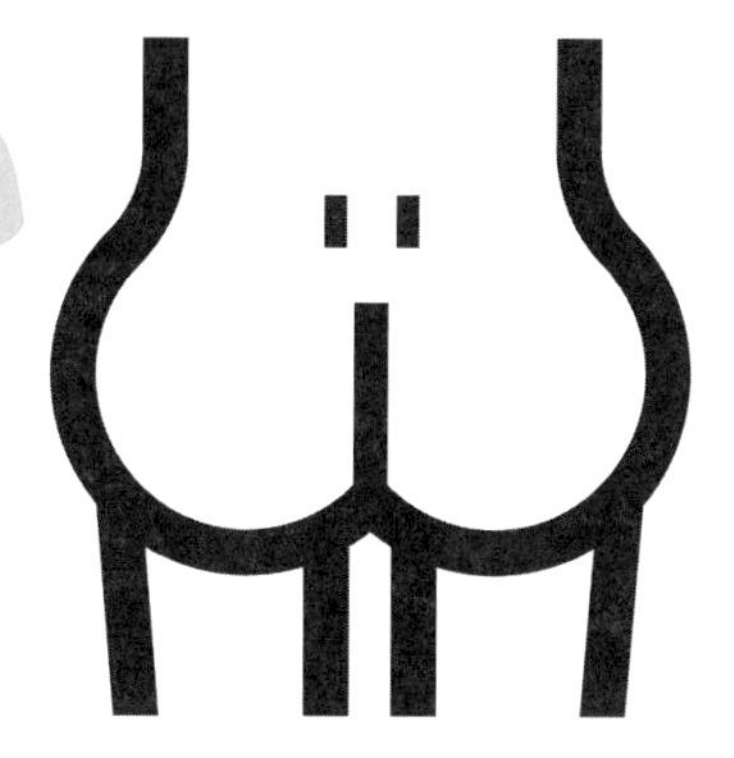

インパクトがあればあるほど、定着しやすい!

鉄砲が伝来して、いきなりあなたが1発頭を殴られて、お尻から鉄砲を3発撃っているシーンをイメージしてください。

これならば、一生忘れない記憶ができるはずです。

大切なのは、主人公をほかの誰かではなく、あなたにすることです。

ほかの誰かの頭が叩かれているのではなく、あなたの頭が叩かれているシーンにするのです。

プリクラで自分の顔を貼る

イメージ記憶をするときに効果的なのは、イラストにあなたの顔写真（プリクラ）を貼ってみる方法です。

私はこれを**「プリクラ記憶法」**と名付けています。

もちろん、顔写真以外のところは、あなた自身がイラストを描くことが大切です。

自分でイラストを描くことで、当事者意識を持つことができ、覚えるときにイメージが強化されます。

プリクラはストックしておこう

イメージ記憶をするために、あらかじめプリクラを撮って、家に何十枚もある状態をつくってください。

喜怒哀楽（喜んでいる顔、怒っている顔、悲しい顔、笑っている顔）に加えて、驚いている顔、普通の顔の6パターンで、トータル8枚ずつは、つねに持ち歩いておきたいところです。

イメージ記憶のときには、プリクラは必須（ひっす）アイテムなのです。

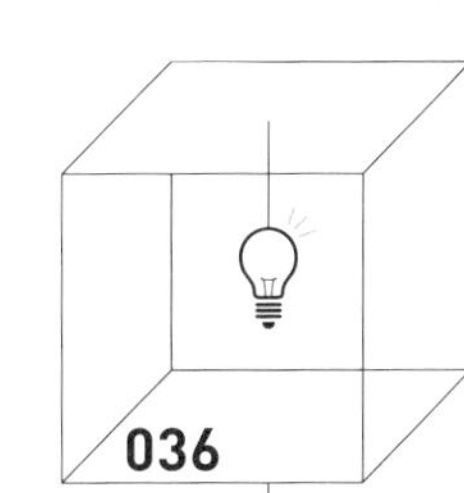

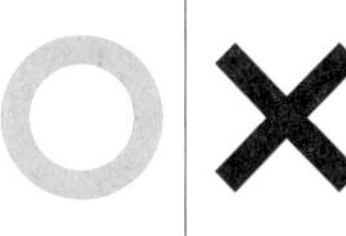

これで
天才に!

× すべてを語呂合わせで解決しようとする

○ 替え歌をつくって覚える

「よし。イメージ記憶だ！　すべてを語呂合わせで覚えてやるぞ！」

と言う人がいます。

これも、やってはいけません。

1対1対応であれば、単純記憶がベストです。ですが、**「1対多対応で、語呂合わせがつくれないもの」**もあります。

その場合、歌にして覚えるのが一番です。

歌は次の2種類に分けられます。

①替え歌にして覚える

②ラップにして覚える

中国の王朝の順番の替え歌は有名です。『アルプス一万尺(いちまんじゃく)』の歌に合わせて、「殷(いん)・周・東周・春秋(しゅんじゅう)戦国……」と覚えるわけです。

替え歌がないならラップにする

替え歌がすでにあればいいですが、自分で替え歌をつくるのは大変です。

その際、どんなものでも覚える方法が「ラップにして覚える」というものです。

たとえば、**「古典文法をラップにして覚える」**というメソッドがあります。

広島の修道高校の管野泰久先生が考案したもので、拙著『1分間古典文法180』（水王舎）にDVDもついていますので、そちらを参考にしてください。

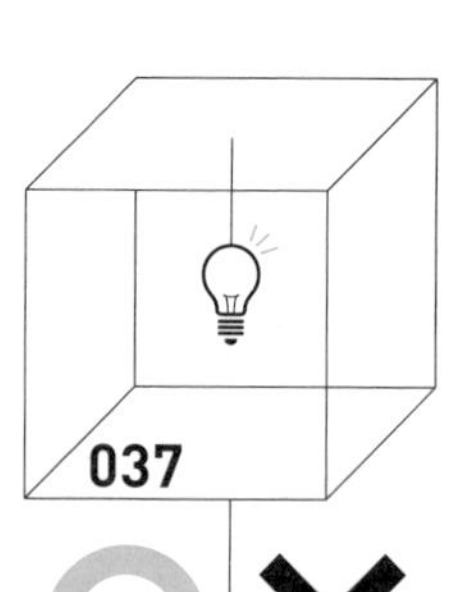

やってはいけない!

教科書を暗記しようとする

これで天才に!

参考書を暗記しようとする

「学校の教科書は、基礎的なことが網羅されているはずなので、難易度が低いに違いない。まずは教科書から暗記しよう」と思っている方がいます。

ダメです。やってはいけません。

学校の教科書は、成績がいい生徒も、授業中に寝ないよう細かく書かれています。

「教科書＝偏差値30から偏差値70の人まで、すべての人がある程度満足するようにつくられている」というのが正しいです。

一番いい参考書とは、「偏差値30の人には役立つが、偏差値70の人には時間の無駄でしかない」「偏差値70の人には役立つが、偏差値30の人にはまったく理解できない」という参考書です。

「成績を上げたいなら、教科書は使わない」

このほうが正しいです。

歴史は教科書も有効

日本史・世界史は教科書から出題されるケースが多いので、教科書を使った勉強に意味はあります。

国語は、教科書を使っても残念ながら成績は上がりません。問題に答えることが国語の試験なので、問題集を使わないと国語の成績は上がらないからです。

暗記は教科書ではなく、参考書を!

数学も、教科書の例題と同じ問題が東大の試験で出題されたという話は聞いたことがありません。

教科書に書いてある問題とは別の問題が、実際の入試では出ます。

科目で教科書の重要性は変わる

教科書と、入試に出題されるかの関連度で言えば、

- **歴史(日本史・世界史)→入試との関連度【大】**
- **数学→入試との関連度【中】**
- **国語→入試との関連度【小】(現代文はゼロ、古文・漢文は中)**

となります。

教科書を暗記するのではなく、あなたのレベルにあった参考書を暗記したほうが、成績は上がるのです。

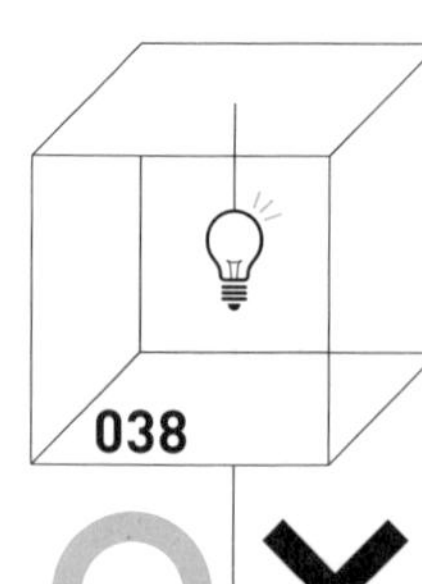

○ これで天才に！

× やってはいけない！

つねに暗記している状態を目指す

試験当日だけ、暗記している状態を目指す

「覚えたことは、一生忘れないぞ」と思って暗記をしようとする人がいます。

これは失敗するだけです。

むしろ、**忘れようとして失敗して、覚えている状態をつくり出すというのが正解です。**

いつも忘れない状態をつくろうとするのではなく、試験当日だけ覚えている状態にするアプローチに変えるのです。

大切なのは、試験本番の1日だけです。

「この日さえ偏差値70ならば、翌日にはキレイさっぱり忘れていても構わない」

と考えるのです。

これが「ピークコントロール」という考え方です。

夏休みには偏差値30だけれども試験当日に偏差値70の状態になる人が合格します。

割り切りが暗記のスタート

「試験当日だけ暗記できている状態をつくるには、どうしたらいいのか？」

というように、試験当日から逆算して暗記をしていくのが正解です。

「試験当日だけ暗記している状態になれば、それでいい」

と割り切って考えることが、正しい暗記のスタートラインなのです。

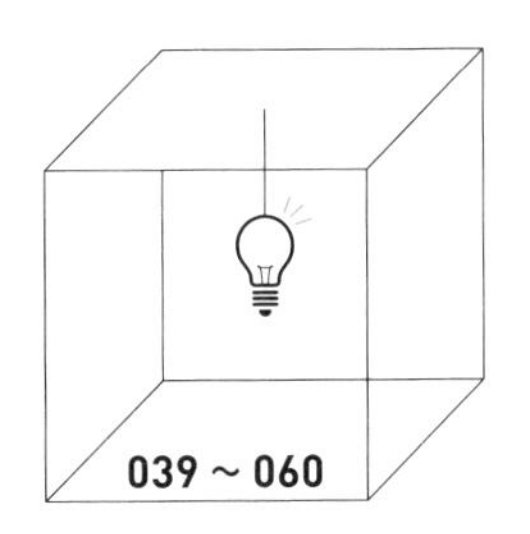

Chapter 3

やってはいけない英語勉強法

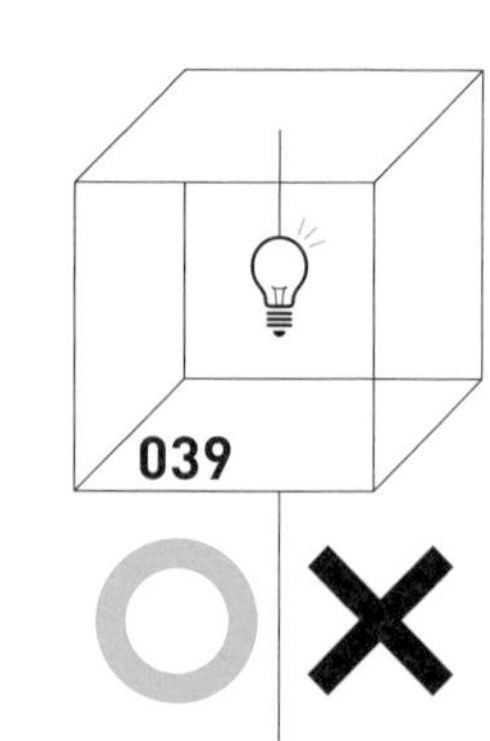

× やってはいけない!

学校の教科書を使って、英語を勉強する

○ これで天才に!

参考書・問題集を使って、英語を勉強する

「学校では英語の授業がある。だから学校の教科書を完璧にしておけば成績は上がるはずだ」と考えている方がいます。

明らかに間違っています。

授業で習う英語は、あまり入試本番では出題されません。なぜなら、もし英語の教科書に書いてあることが試験に出たら、学校に通っている人は誰でも満点が取れてしまい、試験が成立しないからです。

日本史・世界史は学校の教科書から出題されるケースが多いので、教科書を使った勉強法は正しいです。ですが英語に関しては、教科書に載っている文章がそのまま出ることは、まずありません。

試験に出るかどうか？

入試に出る問題に関して勉強をしなければ、本番の入試では得点につながりません。参考書や問題集を使って勉強したところが、本番の入試で出題されるのです。

私自身、学校での英語の授業は、ほとんど聞いていませんでした。そのため、学校の英語の成績は平均点以下でした。にもかかわらず、全国模試では1位を取れていました。

入試本番に出るところだけ勉強する。これが正しい勉強法なのです。

英語は教科書で勉強しても試験本番では役に立たない

英語は授業や教科書で勉強しようとしても意味がない

入試本番で出題される参考書や問題集をしっかり勉強!

040

✕ 辞書を引く

○ 頭のなかに辞書をつくる

辞書を引いている時間が、英語の勉強のなかでもっとも無駄な時間です。

わからない英単語があって辞書を引いてしまったら、それだけで30秒~1分くらいの時間が経過してしまいます。

英語の辞書を引く習慣をなくす。 これだけで大幅な時間短縮につながります。

では、どうしたらいいのでしょうか。

答えは簡単。

「頭のなかに辞書をつくる」

これが正解です。

まず英単語帳を使って、英単語を暗記します。その次に英熟語帳を使って、英熟語をマスターします。

その後、英文法の問題集を使って、英文法を完璧にします。英単語・英熟語・英文法を完璧にしたあとに、英語の長文読解をすれば、辞書を引く機会はゼロになるのです。

知らない単語を5個以内に

英単語は**「志望校の長文問題を読んだときに、1つの長文につき知らない単語が5個以内」**という状態が理想です。

「知らない英単語は1つもないぞ」という状態は、英単語の勉強のしすぎです。

その時間があったら、英熟語・英文法の勉

強に回したほうがいいです。

辞書を引かないほうが成績は良くなる

私の場合は、志望校が東京大学と慶應義塾大学でした。なので、

「東京大学の長文を読んだときに、知らない単語が5個以内」

「慶應義塾大学の長文を読んだときに、知らない単語が5個以内」

という状態を高校2年生のときにつくってから、長文読解に取り掛かりました。そのため、高校3年生のときには、辞書を引くことは一度もありませんでした。

一度も辞書を引くことなく、全国模試で1位を獲得していました。逆に言えば**「一度も辞書を引かなくていい状態をつくってから長文読解に取り掛かったので、全国1位を獲得できた」**とも言えます。

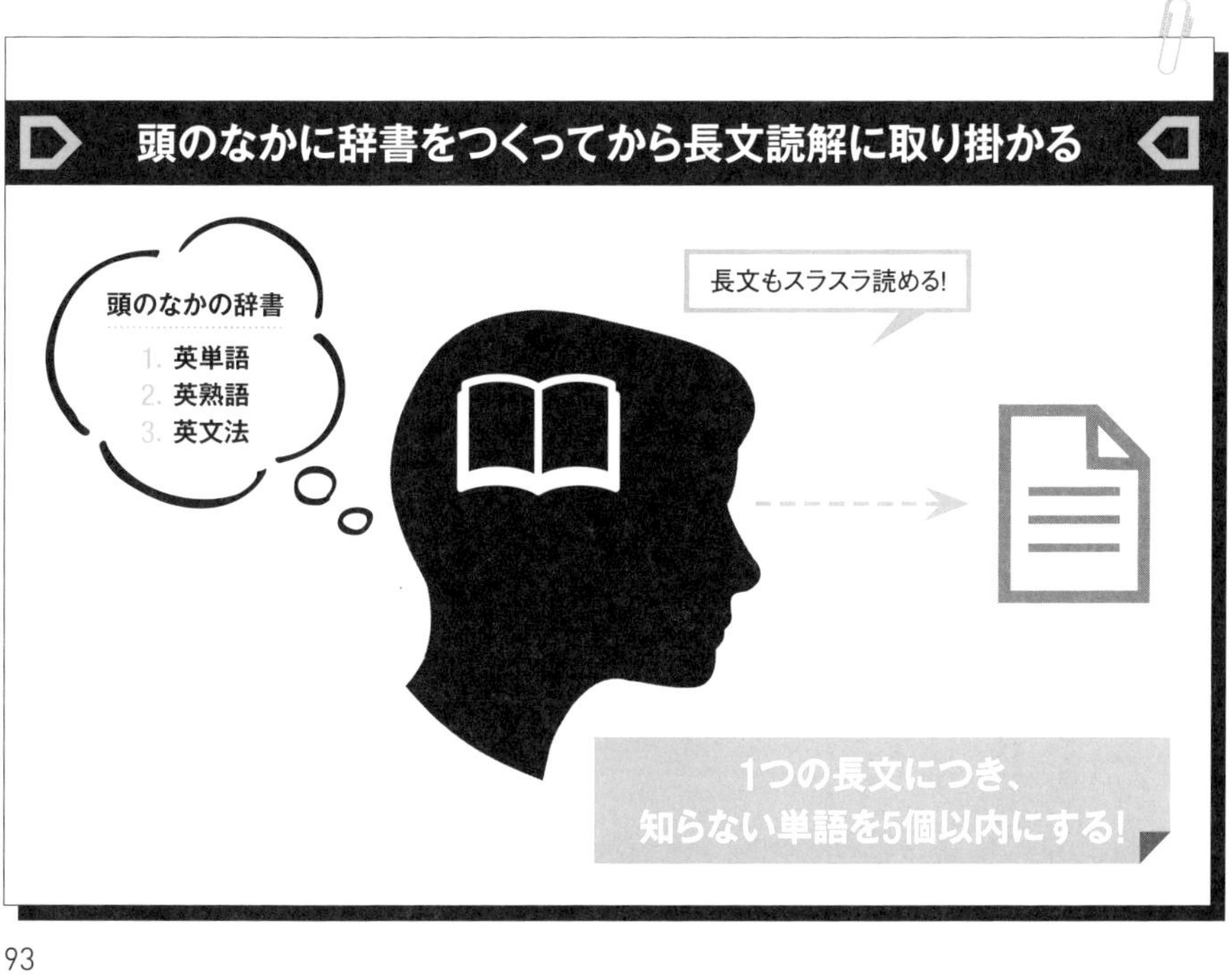

頭のなかに辞書をつくってから長文読解に取り掛かる

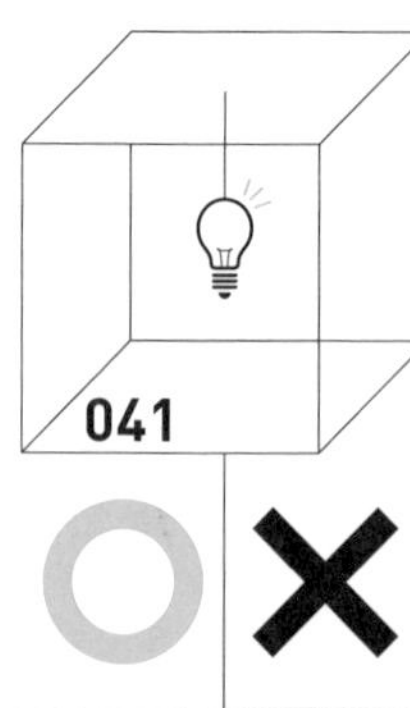

○ これで天才に！

× やってはいけない！

配点が高いので、まずは長文のトレーニングをする

偏差値65になるまでは、英語の長文は一切読まない

「入試で一番配点が高いから、長文読解のトレーニングをしなければ」と、辞書を片手に長文ばかりを読んでいる人がいます。

時間の無駄です。

長文読解は、英単語・英熟語・英文法の知識が不完全な状態で長文を読むと余計に時間がかかります。

いっそのこと、長文は一切読まないほうが、英語の成績は最短距離で上がります。

私は常々（つねづね）**「偏差値65になるまでは、英語の長文は一切読むな」**と言っています。

まず、志望校の入試問題において、知らない英単語が5個以内になるまで英単語を暗記し、英熟語・英文法も完璧にすれば、偏差値65までは成績が伸びます。

偏差値65になれば、辞書を引かずに長文読解ができ、かなりのスピードで長文を読めるようになります。

長文に飢えた状態をつくる

野球で、素振り（すぶ）りばかりして試合に臨（のぞ）むことで「ボールを打つことに飢（う）えている状態」になり、いい結果を残すことがあります。

英語も同じです。**長文に飢えている状態をつくって長文読解をすることで、最速で長文を読み進められるようになるのです。**

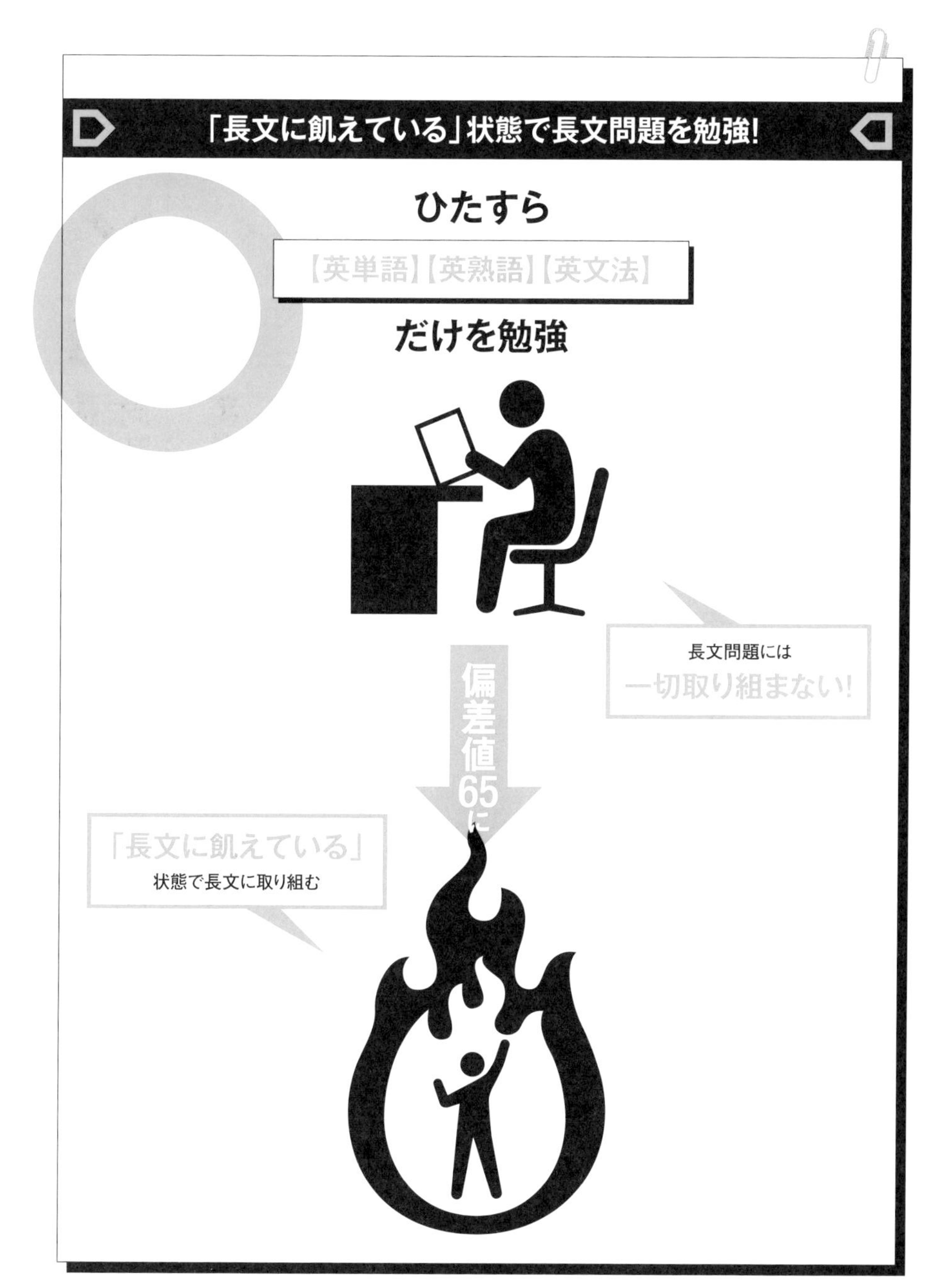
「長文に飢えている」状態で長文問題を勉強!
ひたすら
【英単語】【英熟語】【英文法】
だけを勉強
長文問題には
一切取り組まない!
偏差値65に
「長文に飢えている」
状態で長文に取り組む

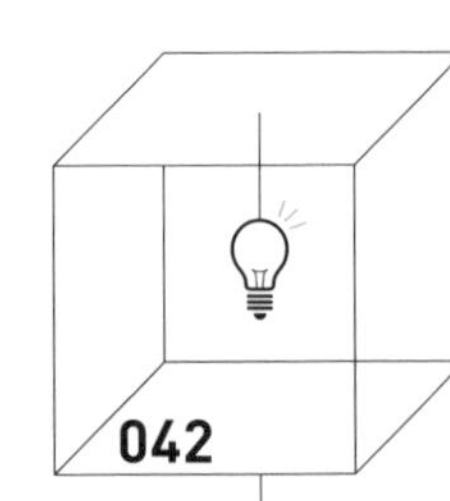

✕ 長文を読みながら、同時に英単語・英熟語・英文法を学ぶ

○ 英単語→英熟語→英文法→長文の順で勉強する

非効率な勉強は、未熟なうちから「同時に」勉強することです。

長文を読みながら辞書を引いて、見たことがない英熟語をノートに取り、英文法について参考書で調べている人がいます。

一見、同時におこなったほうが効率的に思えますが、完全なる間違いです。

最初から知らない英単語もなく、知らない英熟語もなく、知らない英文法もない状態で長文を読んだほうがスピードは上がります。

勉強は、一つひとつ分けて勉強するほうが、スピードは上がります。

英単語を勉強するときは英単語だけ。英熟語を勉強するときは英熟語だけ。英文法を勉強するときは英文法だけ勉強します。

英語の勉強は、順番が命だ

そこで大事なのが**「順番」**です。

まず英単語を暗記します。そうすれば、英熟語・英文法を暗記するときに、知らない英単語がない状態で始められるからです。

英単語の次は英熟語です。英熟語が完璧な状態をつくってから、英文法を勉強します。

そうすれば英文法の例文を見ているときに「これは英熟語だな」というところが事前にわかるので英文法だけに集中できます。

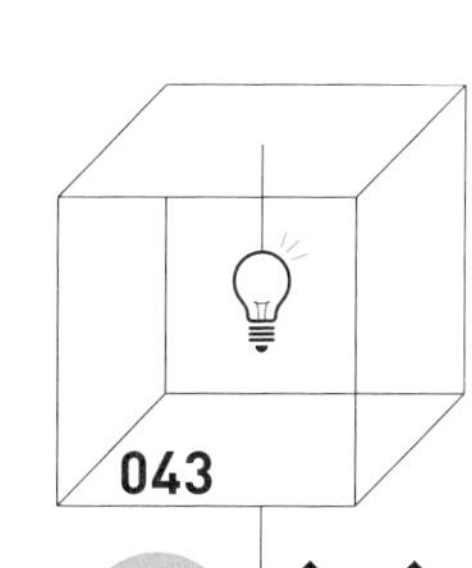

いきなり目で見て覚えようとする

音読をした後に、目で見て覚える

英単語は、次の3ステップで覚えます。

【ステップ1】英単語と日本語訳を、両方声に出して音読する（1単語2秒）

【ステップ2】英単語だけ声に出して音読して、日本語訳は黙読する（1単語1秒）

【ステップ3】英単語も日本語訳も、黙読だけで繰り返す（1単語1秒）

まず大切なのは、英単語に「なじむ」ということです。

ステップ1を60回繰り返しましょう。1日3回なら、20日間かかります。

人は21日で潜在意識が切り替わると言われています。なじむまでにかかる時間は21日なので、1日は休むことを考えて、60回は英単語と日本語を音読しましょう。

1単語を1秒で

ステップ2も、1単語につき60回音読を繰り返します。英語だけ音読をすることで、日本語を発音する時間を短縮できます。

1単語2秒から1秒になるので、2分の1の時間短縮に成功したことになります。

このときに大切なのは**「忘れようとする」**というマインドです。

「覚えよう」とするのではなく、「忘れよう」とすることが大切なのです。

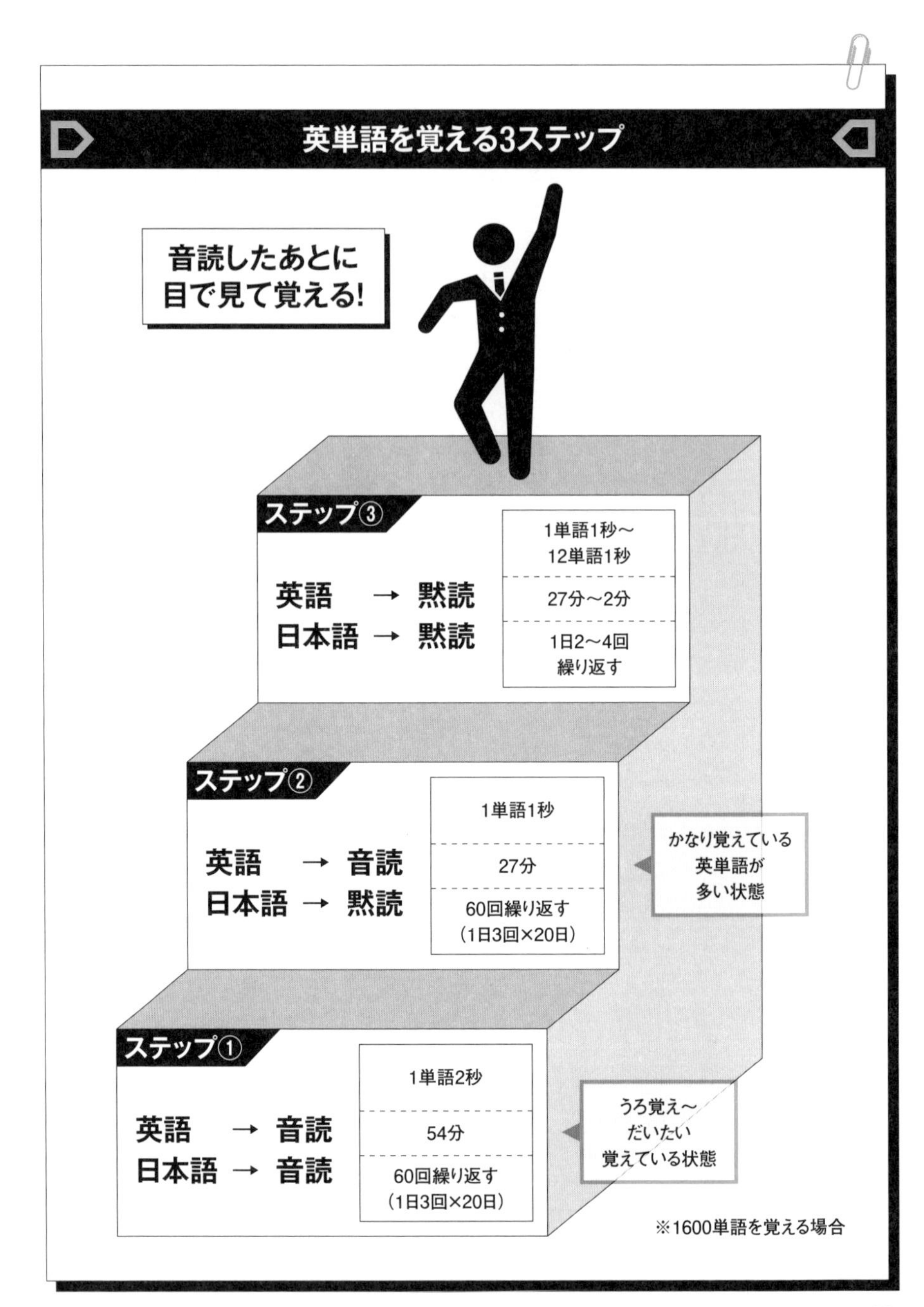
英単語を覚える3ステップ
音読したあとに
目で見て覚える!
ステップ③
英語 → 黙読
日本語 → 黙読
1単語1秒～
12単語1秒
27分～2分
1日2～4回
繰り返す
ステップ②
英語 → 音読
日本語 → 黙読
1単語1秒
27分
60回繰り返す
(1日3回×20日)
かなり覚えている
英単語が
多い状態
ステップ①
英語 → 音読
日本語 → 音読
1単語2秒
54分
60回繰り返す
(1日3回×20日)
うろ覚え～
だいたい
覚えている状態
※1600単語を覚える場合

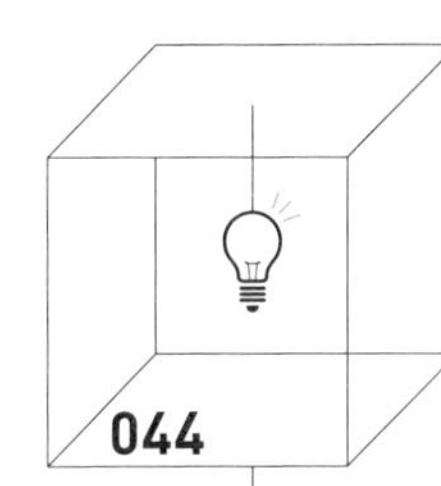

英単語帳を、最初のページから覚える

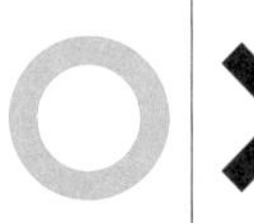

名詞→動詞→形容詞→副詞の順番で覚える

「英単語帳を使って、瞬間記憶のトレーニングをするのがベスト」と言うと、英単語帳に書いてある単語の最初から覚えようとする人がいます。

たまたま英単語帳の最初に書いてあるからと言って、その英単語から覚えることには意味がありません。

たまに、ＡＢＣ順の英単語帳で、最初の英単語が「abandon（あきらめる）」という英単語の場合があります。「英単語を勉強しよう！」と意気込んでいるのに、いきなり「あきらめる」という言葉を目に入れなければいけないわけです。

ＡＢＣ順の英単語帳は、最初のほうで「abandon（あきらめる）」が出てくる可能性があるので、避けたほうが賢明です。

英単語帳は「名詞」から書かれたものを選ぶべき英単語帳は「名詞」から掲載されている英単語帳です。

英単語で一番大切なのは名詞です。なぜなら名刺は「説明が不可能」だからです。「mother（母親）」という英単語は、ほかの言葉を使って説明できるでしょうか。「私を産んだ存在で、おばあちゃんの娘」などと言い換えていたら大変です。

「rice（米）」という英単語も説明不可能です。「日本の主食で、パンではない、粒状の白い食べ物」と言い換えるのは苦しいです。

つまり、**名詞は、「そのまま丸暗記するしかない」ものなのです。**

ごちゃごちゃ言わずに覚えたほうが早いのが、「名詞」です。

名詞だけでも、会話はできる

名詞がわかっているだけで言語というのはある程度成立します。

「お母さん！　ごはん！」

と言われたら、意味が通じますよね？　2つの名詞だけで意味が通じているわけです。外国のファストフード店に行って「ハンバーガー、コーク」と名詞を言えば、ハンバーガーとコーラを買うことができます。

英単語を勉強するときも**「知らない名詞はない」**というくらい名詞を覚えるのが、最速で成績を上げる秘訣です。

最強の勉強の順番は、これだ

次に大切なのは「動詞」です。

「何がどうした」の「どうした」の部分だからです。

名詞を覚えたあとに動詞を覚えます。

形容詞は名詞を修飾するものなので、名詞・動詞の次に大切です。

副詞は、動詞・形容詞を修飾するものなので、名詞・動詞・形容詞の次に覚えます。

名詞→動詞→形容詞→副詞

の順番で掲載されている英単語帳を使えば、最短で英単語をマスターできます。

少なくとも、名詞は名詞、動詞は動詞で分かれている英単語帳を選んで、使うようにしましょう。

英単語は「名詞」から覚える!
英単語
この順番で掲載されている
英単語帳を探してみよう!
名詞
動詞
形容詞
副詞
英熟語
英文法
長文読解
この順番こそが
最速の英語勉強法!!

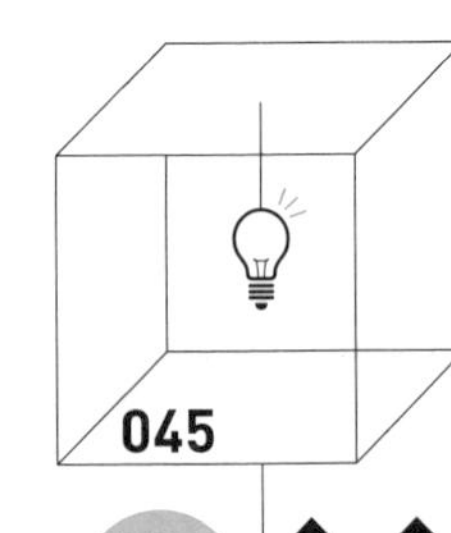

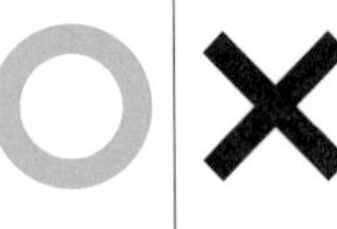

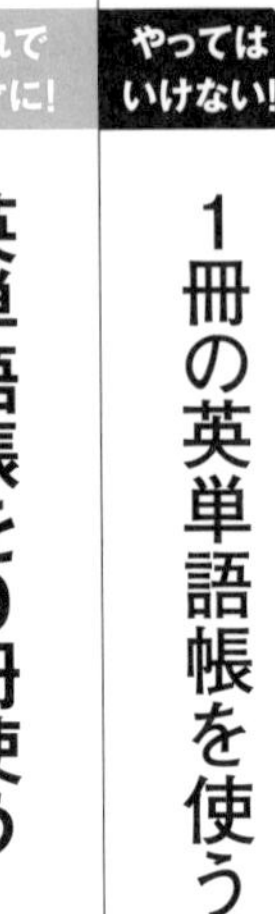

✕ 1冊の英単語帳を使う

○ 英単語帳を9冊使う

「1冊の英単語帳を何度も繰り返すのが、一番いいはずだ」と思っている人がいます。

これは、やってはいけません。その英単語帳に掲載されていない英単語が必ず存在するからです。

少なくとも3冊は英単語帳を持っておきたいところです。理想は9冊です。1冊を繰り返しやると、同じ刺激に頼ってしまいます。「この英単語の次は、この英単語だ」と、順番で覚えてしまうケースもあります。

オススメの英単語帳は、手前味噌ですが、拙著『1分間英単語1600』（KADOKAWA）です。これは私が3ヵ月かけて、瞬間記憶専用に開発したので、ぜひ9冊のうちの1冊には加えていただけたらと思います。

伝説の英単語帳を使おう

個人的に、受験時代に一番優れた英単語帳だと思ったのは『大学入試英単語頻出案内』（上垣暁雄著／桐原書店）です。

「試験に出る、出ない」という基準からさらに一歩進んで**「試験に出て、得点につながるかどうか」**という基準でつくられています。

この本はすでに絶版（ぜっぱん）で、1万円以上で取引されることも多いのですが、買う価値がある本なので入手していただければと思います。

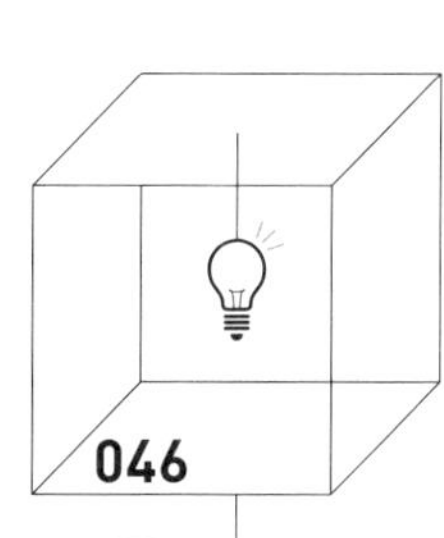

例文が書いてある英単語帳を使う

例文が書いていない英単語帳を使う

「例文があると覚えやすい。例文がある英単語帳を使おう」と言う人がいます。

ダメです。**英単語帳は、英単語を覚えるためだけに使うべきであって、例文を読んでいたら時間の無駄になります。**

そもそも「瞬間記憶の訓練」として英単語帳を使うわけですから、例文は一切読んではいけません。これは英熟語も同じです。

例文を読んでいたら、それだけで10秒くらいかかります。それならば、**1単語1秒で、10単語分眺めたほうが効率的です。**

一番いい英単語帳は、1単語につき、1つの意味しか書いていないものです。これを「1語1訳方式の英単語帳」と言います。

「government（政府、支配、統治）」と書いてある英単語帳はダメです。

「government（政府）」と書いてあるだけの英単語帳がベストということです。

2つ目の意味は塗りつぶそう

もし2つ以上意味が書いてあったら、ほかの意味を黒のマジックペンで塗り潰して使ったほうが、頭に入りやすくなります。

この作業に時間がかかるので、そもそも1つの意味だけが書いてある英単語帳を使うのがいいのです。

意味が1つしか書いていない英単語帳を使う

例文を読むのは時間の無駄!
意味が2つ以上あるのもNG

government

＝政府、支配、統治

例文:
The federal government enacted the following legislation.
（連邦政府は次の法律を制定した。）

「一語一訳方式の英単語帳」が「瞬間記憶」には最適

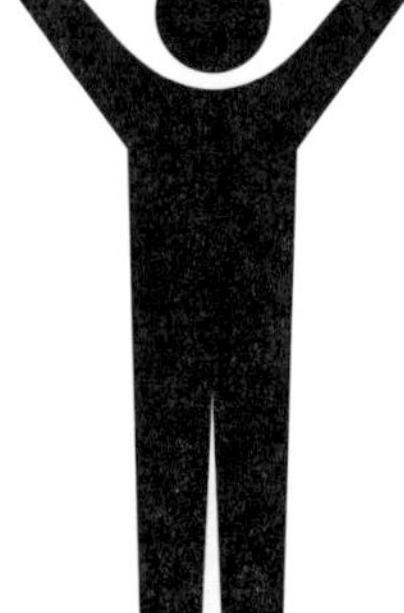

government

＝政府

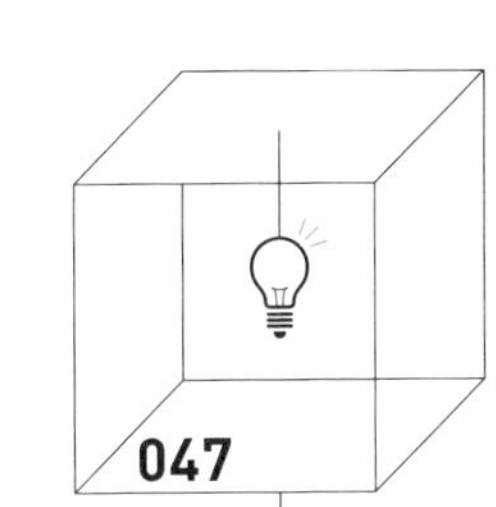

やってはいけない!

市販の英単語帳だけを使う

これで天才に!

自作の英単語帳をつくる

「英単語は、市販の英単語帳を買えばOKだな」と考えがちです。実際には、自作の英単語帳をつくる必要があります。

というのも、9冊の英単語帳を使うと「この英単語は、なかなか覚えられないな」「9割方覚えたが、1割だけ覚えていない英単語帳がある」ということが起きるからです。

瞬間記憶のトレーニングが進むと、9割知っている英単語帳を使うよりも、覚えたい英単語だけが書いてある英単語帳を使いたくなります。その際に、自作の英単語帳をつくることになります。

ちなみに、自作の英単語帳は、1冊だけつくるのではありません。名詞で1冊、動詞で1冊、形容詞で1冊、副詞で1冊の最低4冊は必要です。名詞・動詞は数が多いので2冊以上になるはずです。

一対一で覚えよう

自作の英単語帳でも一対一対応が原則です。どうしても2つの意味が必要な単語であれば、これも一対一対応にしていく必要があります。

たとえば「book（本、予約する）」という、2つとも大切な意味の英単語があります。その際には、

「book（本）」
「book（予約する）」

このように一対一対応にして、名詞用の単語帳と動詞用の単語帳に別々に書いたほうが、瞬間記憶をしやすくなります。

英単語帳は付箋で色分けする

自作の英単語帳は、色分けした付箋（ふせん）を使うとより瞬間記憶がはかどります。

赤の付箋：名詞【例】society：社会
緑の付箋：動詞【例】govern：統治する
黄の付箋：形容詞【例】beautiful：美しい
青の付箋：副詞【例】rarely：滅多に〜ない

として、それぞれの自作の英単語帳に貼ります。英単語帳の表紙の色も、記憶の段階に応じて4色を使うことが大切です。

赤の表紙の英単語帳：0秒で言える英単語
緑の表紙の英単語帳：3秒考えて言える英単語。うろ覚えの英単語
黄の表紙の英単語帳：見たことはあるが、意味がわからない英単語
青の表紙の英単語帳：見たことも聞いたこともない英単語

この4種類の英単語帳に、英単語と日本語の意味が書かれた付箋を貼っていきます。

勉強の順番としては、

①緑の英単語帳に書かれている英単語を、赤に昇格させていく（赤のものは、完全に暗記しているのでもう見ない。見るとしても入試の1ヵ月前）
②黄色の英単語帳に書かれている英単語を、緑に昇格させていく
③青の英単語帳に書かれている英単語を、黄色に昇格させていく

この順番を意識し、瞬間記憶のトレーニングを兼（か）ねながら英単語を暗記しましょう。

自作の英単語帳は表紙と付箋を色分けして使う

自作の英単語帳

0秒で言える英単語

3秒考えて言える英単語

見たことはあるが、意味がわからない英単語

見たことも聞いたこともない英単語

さらに

4色の付箋を貼って覚える!

の付箋 → 名詞 [例] society：社会

緑 の付箋→動詞 [例] govern：統治する

黄 の付箋→形容詞 [例] beautiful：美しい

青 の付箋→副詞 [例] rarely：滅多に〜ない

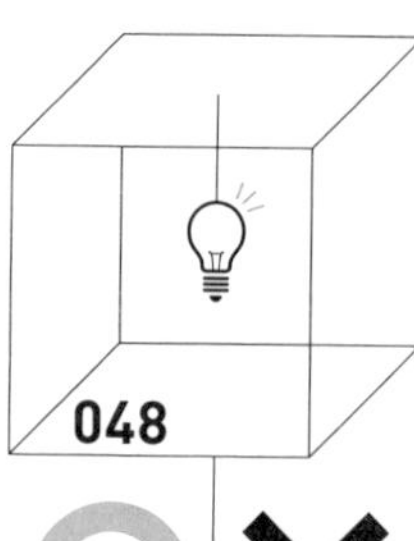

これで天才に!　やってはいけない!

モノクロの英単語帳を使う
カラフルな英単語帳を使う

右脳は、色に反応します。右脳は、左脳に比べて容量が多いことが知られています。

ということは、**カラフルな英単語帳を使ったほうが右脳を刺激でき、覚えやすい**ということになります。

とはいえ、カラフルすぎたら気が散ってしまうので、それもよくありません。

「赤・緑・黄・青に、黒だけが使われている英単語帳があったら絶対に買うのになあ」と受験生時代に思っていましたが、ありませんでした。そこで私が制作したのが『1分間英単語1600』（KADOKAWA）です。

1単語1秒で覚えるために、訳語も1つだけ。おかげさまで15万部の人気英単語帳となっています。本当にありがたいです。

カラフル&1語1訳がベスト

『1分間英単語1600』は、大学受験で頻出の英単語が収録されています。TOEICでは600点が目安です。

『CD2枚付1分間TOEICテスト英単語』（KADOKAWA）も社会人向けに発売していますが、こちらも1語につき1訳しかありません。

英単語帳は「カラフルで1語1訳」がベストです。

郵便はがき

162-0816

恐れ入ります
切手を
お貼りください

東京都新宿区白銀町1番13号

きずな出版 編集部 行

フリガナ

お名前　　男性／女性　未婚／既婚

(〒　　-　　)
ご住所

ご職業

年齢　10代　20代　30代　40代　50代　60代　70代～

E-mail

※きずな出版からのお知らせをご希望の方は是非ご記入ください。

愛読者カード

ご購読ありがとうございます。今後の出版企画の参考とさせていただきますので、アンケートにご協力をお願いいたします（きずな出版サイトでも受付中です）。

[1] ご購入いただいた本のタイトル

[2] この本をどこでお知りになりましたか？

1. 書店の店頭　2. 紹介記事（媒体名：　　　　　　　　　　　　　）

3. 広告（新聞／雑誌／インターネット：媒体名　　　　　　　　　　　）

4. 友人・知人からの勧め　5.その他（　　　　　　　　　　　　　　）

[3] どちらの書店でお買い求めいただきましたか？

[4] ご購入いただいた動機をお聞かせください。

1. 著者が好きだから　2. タイトルに惹かれたから

3. 装丁がよかったから　4. 興味のある内容だから

5. 友人・知人に勧められたから

6. 広告を見て気になったから

（新聞／雑誌／インターネット：媒体名　　　　　　　　　　　　　）

[5] 最近、読んでおもしろかった本をお聞かせください。

[6] 今後、読んでみたい本の著者やテーマがあればお聞かせください。

[7] 本書をお読みになったご意見、ご感想をお聞かせください。

（お寄せいただいたご感想は、新聞広告や紹介記事等で使わせていただく場合がございます）

ご協力ありがとうございました。

きずな出版　URL http://www.kizuna-pub.jp　E-mail 39@kizuna-pub.jp

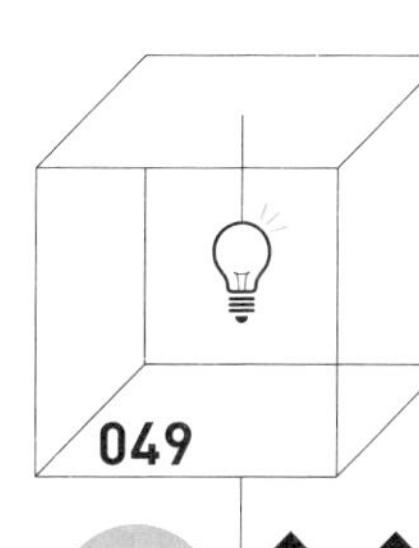

✕ 試験に出そうな英単語を覚える

○ 志望校の入試に出る英単語を覚える

「試験に出そうな英単語を、かたっぱしから覚えよう」と言う人がいます。

非効率なので、やってはいけません。

一番効率的なのは、

「志望校の入試で出題される英単語はすべて知っているが、志望校で出題されない英単語はまったく知らない状態」

です。東大志望ならば、

「東大で出題される英単語は知っているが、早稲田で出題される英単語はまったく知らない」

という状態が理想です。

もちろん、現実的には不可能です。

ですが、第一志望に合格することが一番の理想であって、第三志望に3つ合格しても嬉しくはないはずです。

第一志望に出そうな英単語を「分厚く」暗記し、第一志望に滅多に出ない英単語は「薄く」暗記するイメージです。

大学ごとに覚えるべき単語は変わる

「重要な英単語は、どの大学でも重要なのではないのか」と思うかもしれません。

ですが、次ページの表を見てください。

これは、私が『CD付1分間東大英単語1200』『CD付1分間早稲田英単語1200

例）早稲田大学と慶応大学で重複している英単語は……わずか25%

	慶應英単語1200	東大英単語1200	1分間英単語1600
早稲田英単語1200	306	397	322
慶應英単語1200	-	435	333
東大英単語1200	-	-	556

●早稲田と慶應を併願する人は多いが、
重要単語を抽出してみると、重複しているのは25%程度

●基礎的な英単語は早稲田を受験する際にも押さえておく必要がある

応用 早稲田英単語1200 ＋ 基礎 1分間英単語1600

これが早稲田英語対策には
もっとも効果的な組合せ!

参照:『1分間東大英単語1200』(KADOKAWA)

0』『CD付1分間慶應英単語1200』（いずれもKADOKAWA）を書いたときにつくった表です。

これらの本のコンセプトは、こうです。

まず過去10年分で出題された英語長文をコンピューターでスキャンし、3回以上使われた英単語だけを抽出します。そのなかから、「apple」「it」など、中学レベルで誰でも知っている英単語を除外します。

すると、東大だけでの頻出（ひんしゅつ）英単語、慶應だけでの頻出英単語、早稲田だけでの頻出英単語だけが残るというわけです。

受ける大学の入試に出る単語を暗記

これを見て驚くのは、**早稲田大学と慶應義塾大学で重複（ちょうふく）している英単語は25％しかない**ということです。

英語という1つの言語でありながら、志望校によっては、75％は違う単語が使われているという驚愕（きょうがく）の事実が判明しました。

あなたが慶應志望で、1単語1秒で覚えていくのであれば、まず『1分間英単語1600』を暗記した後に、『CD付1分間慶應英単語1200』を暗記すれば、かなり効率的に英単語の暗記ができるようになります。

伝説の英単語帳で学ぶ

現在、KADOKAWAから発売されたこの3冊は絶版状態になっていて、今後の発売予定もありませんので、伝説の英単語帳になっています。

しかも当時はCD付きで発売されました。古本でもCDがついているものはレア状態になっていますので、ご了承ください。ただ、前述の『大学入試英単語頻出案内』よりは手に入れやすいので、安心してください。

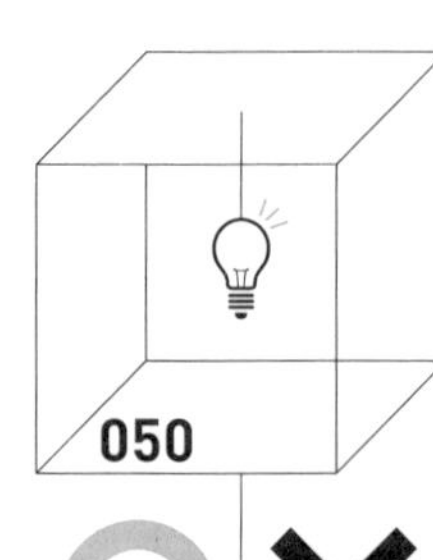

英単語ばかり暗記をして、英熟語を覚える時間を取らない

英熟語こそ得点に直結するので、英熟語を覚える時間を多く取る

「暗記と言えば英単語だ。英単語の暗記はがんばるけど、英熟語は、それほど覚えなくてもいいかな」と考えている人がいます。

違います。**英熟語こそ、得点源です。**

なぜなら「この英単語はどんな意味ですか?」という問題は出ませんが、「この英熟語を書きなさい」という穴埋め問題は、頻出だからです。知っているだけで得点できるのが、英熟語です。英単語で差がつくのではなく、英熟語で差がつきます。

日本史・世界史の細かいところを覚えるよりも、英熟語のほうが配点は高いです。

日本史・世界史では2点のところを、知っているだけで4点、長文問題では6点になることもあるのが、英熟語です。

地味だけど大事な英熟語

英熟語は、日本史・世界史と比べて、2〜3倍の得点源になる。こう考えてください。

歴史の配点は100点、英語の配点は200点という学部もあるのですから、それほど英熟語は大切なのです。

一見、英単語に比べたら、英熟語は地味です。そんななか、現存する英熟語で、知らない英熟語はないくらいに極めていくべきなのが、英熟語なのです。

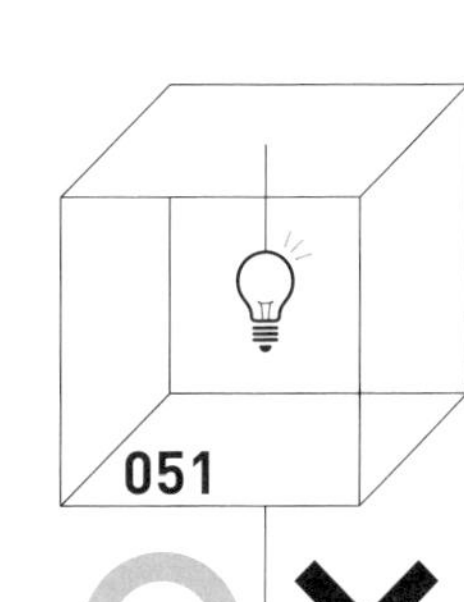

× やってはいけない!

英語→日本語の順で覚える

○ これで天才に!

日本語→英語の順で覚える

「英熟語も、英単語と同じように覚えていけばいいんだ」と思ったかもしれません。

違います。

1単語1秒に対して、「1熟語1秒」は同じですが、覚える順番が違うのです。

英単語の場合は、「society：社会」というように、英語→日本語の順番で覚えます。英文が出てきて、頭のなかで日本語に変換するわけですから、これが最速です。

英熟語は逆です。日本語を見て英熟語が0秒で言えるようになるのが最短ルートです。

1つの日本語訳に対して、2つ以上の英熟語を答える必要があるからです。「多対1」より「1対多」のほうが覚えやすいので、英熟語は日本語→英語の順番なのです。

英熟語の問題を一瞬で答える方法

入試問題では「2語の英熟語を、3語の英熟語に言い換えなさい」という問題が出題されます。1つの日本語に複数の英熟語を0秒で言えれば、一瞬で答えられます。

英単語…1単語につき1つの意味を0秒で言える

英熟語…1つの日本語訳につき、言い換え表現すべての英熟語を言える

これが最強なのです。

英単語と英熟語は覚える順番が違う!

英単語

英語 → 日本語の順番で覚える

●1対1対応の場合は、英語から先に覚えるのが最速

英熟語

日本語 → 英語の順番で覚える

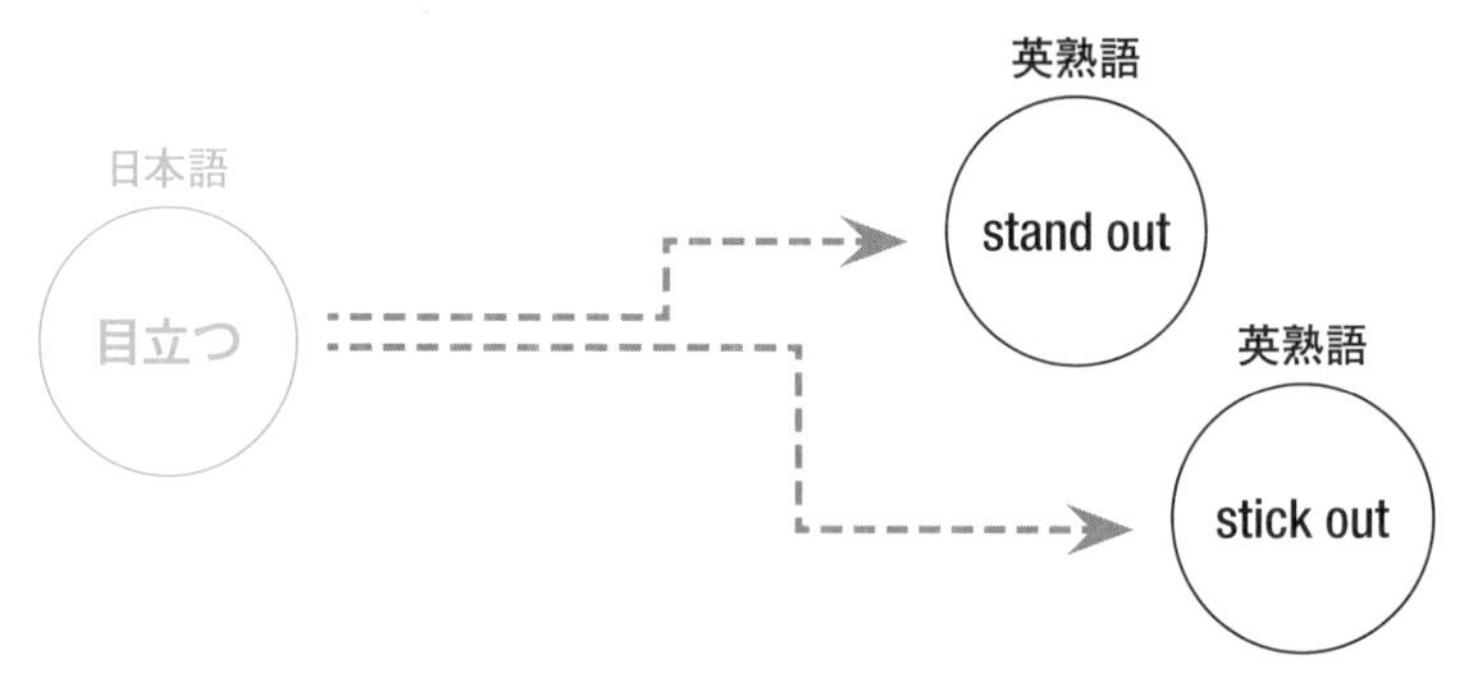

●1対他対応の場合、「多→1」よりも「1→多」の順番で覚えるのが最速

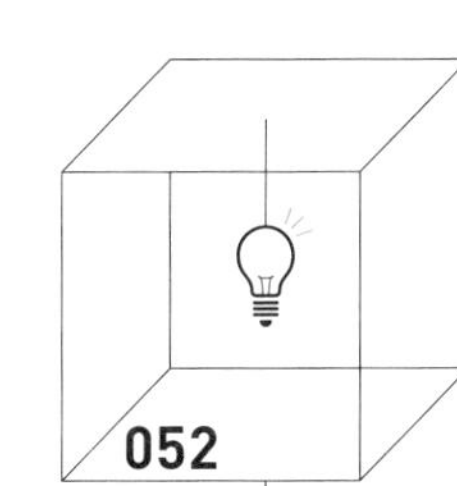

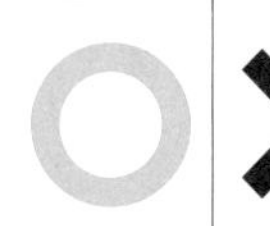

英文法のほうが、英熟語よりも大切だと思っている

英熟語のほうが、英文法よりも大切だと思っている

高校では、英文法の授業はあっても英熟語の授業はありません。なので、英文法は大切だが、英熟語はそれほど重要ではない、と思っている受験生が多いです。

暗記は英単語から始めて、英文法はそもそも授業が存在します。**盲点になりやすいのが英熟語なのです。**

知っているだけで得点に直結するにもかかわらず、英熟語の勉強はあまりしないという人は、とても多いです。

入試は1点の差で合格・不合格が出ます。**「ほかの人は解けないが、自分には解けて、それでいて配点が高い問題」を制する人が、受験を制します。**「英熟語を制するものは、受験を制す」のです。

熟語の大切さをみんな知らない

私が全国模試1位を取れていたのは、「英熟語オタク」になったからです。

「英熟語の本は、英単語の本の3分の1しか売れない」というのは、受験参考書業界の定説です。実際に私の、『1分間英単語1600』は15万部で、『1分間英熟語1400』は5万部です。**3分の2の人が、「英熟語を制するものが受験を制す」という真理に気づいていない**ということです。

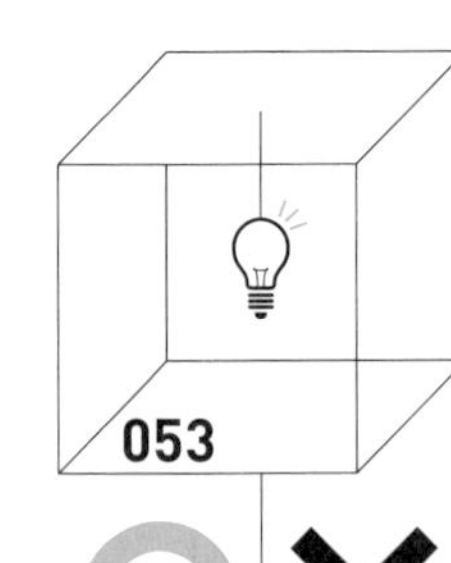

✕ 市販の英文法の参考書を使う

○ 1文法1秒のノートをつくる

市販の英文法の参考書は、理解する上ではわかりやすいです。ですが、復習するときに同じ文章を読み返さなければいけないので、時間が余計にかかる弱点があります。

そこで、**あなただけのオリジナルの英文法のノートをつくる必要があります。**次に見返すときに、1文法1秒で見返すためです。

英文法のノートづくりには、3つのポイントがあります。

①例文をノート（ルーズリーフ）の左側に書き、4色のマーカーで色分けをする。日本語訳はその下に。ポイントは右側に書く。補足事項があればその下に書く

②例文とポイントを見て、理解する

③理解したら、ポイント部分だけを1文法1秒で見返す

最速で英文法の達人になる

「1文法1秒で覚えられる英文法の参考書はないものか」と受験生時代から思っていたのですが、なかったので私がつくりました。

それが『CD付1分間英文法600』（水王舎）です。

この本をこなし、自作で英文法のノート（ルーズリーフ）をつくれば、最速で英文法の達人になるのです。

1文法1秒! を可能にするノート作成術
例文
I'm eating lunch
with friends.
私は友だちとお昼ごはんを
食べているところです。
日本語訳
I've just finished
my homework.
私はちょうど宿題を
終えたところだ。
ポイント
主語 + be動詞 1秒
+ 現在分詞
現在進行形
補足事項
主語 + have 1秒
+ 過去分詞
現在完了形
このノートをつくれば、
最速で復習できる!
構文
緑 イディオム
黄 ポイント・その他
青 前置詞・副詞・文型

じっくり長文を味わう

1行1秒で、左手の人差し指でなぞる

じっくり長文を読んで味わう人がいます。ダメです。あなたのすべきことは、問題を最速で解くことであって、文章を味わうことではありません。

では、どうしたら最速で英文を読むことができるのでしょうか。それは、**左手の人差し指で、1行1秒でなぞることです。**

「まさか、そんなことをしていて、英文の内容がわかるわけがないじゃないか」と思う方もいるでしょう。

「では、あなたは英文を1行1秒で、指でなぞる訓練を3ヵ月以上したことがあるのですか?」と聞くと、そんな人はいません。

実際にやってみると、英文の内容がかなりわかる状態になることが体感できます。

周辺視野を使って英語を読む

なぜ、左手の人差し指でなぞるだけで、1行1秒で読めるのかというと、**左手は右脳とつながっているからです。**触覚で英文を理解すればいいのです。

さらに、**人差し指でなぞると周辺視野(しや)が使えます。**周辺視野とは、人差し指を見たら、その周辺のものまで見える視覚の特徴です。人差し指でなぞると、前の数行と次の数行も目に飛び込んでくるわけです。

音が出るくらいしっかりなぞる

注意点は、空中ではなく、音がするくらい、しっかり指で1行1行なぞることです。空中だと左手から右脳に直接情報が伝わらないので、直接触る必要があります。

具体的に1行1秒で読むための3ステップは下図のとおりです。

この作業を数日間試すと、指でなぞったあと、1行1秒で読めている自分に驚くはずです。わからない英単語はわからないまま、わからない英熟語はわからないまま、です。

この作業を21日〜3ヵ月継続すると、なんと指でなぞらなくても、1行1秒のペースで英語長文が読めるようになります（遅い人は6ヵ月かかるかもしれませんが）。

1単語1秒よりも、1行1秒のほうが、効果を実感しやすいと思います。

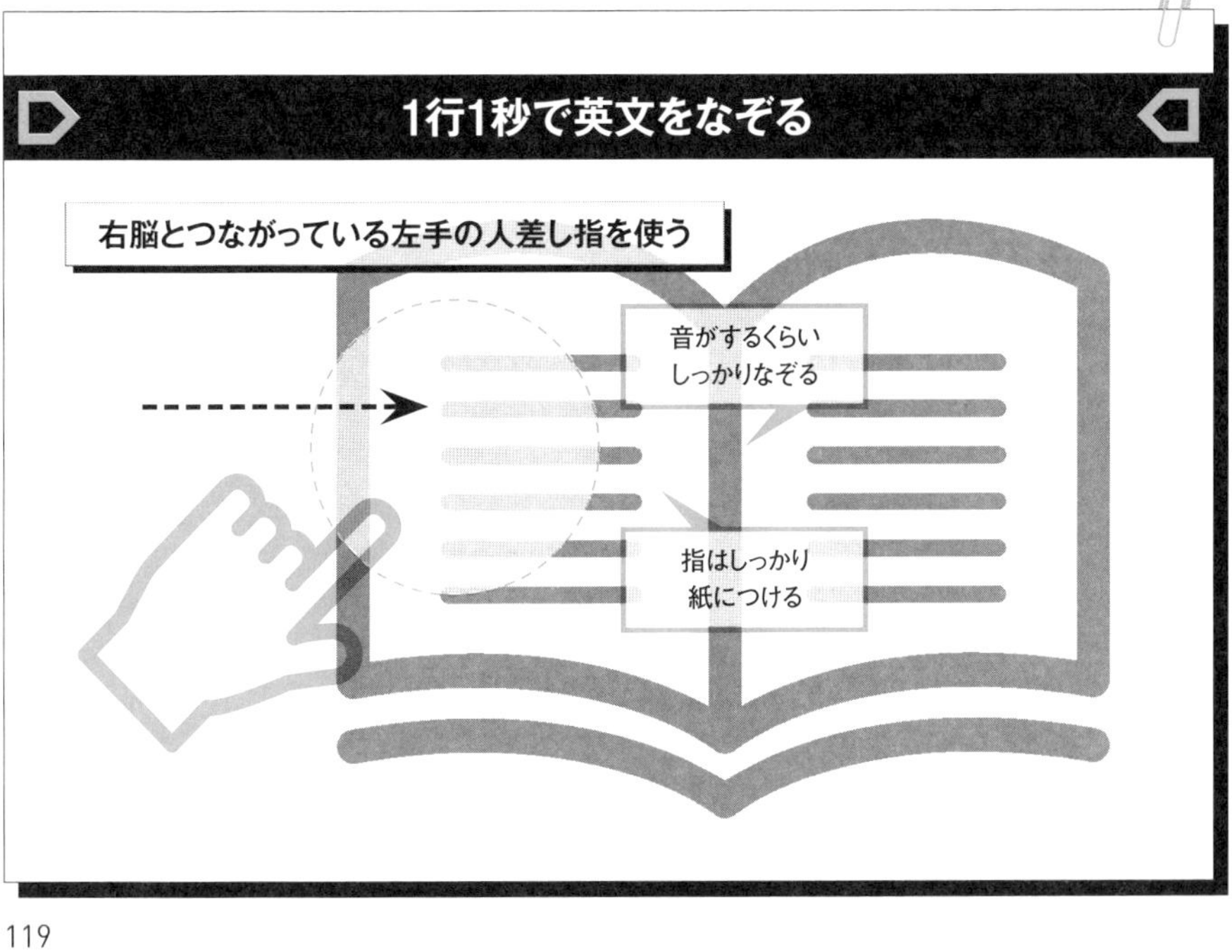

1行1秒で英文をなぞる

右脳とつながっている左手の人差し指を使う

音がするくらい
しっかりなぞる

指はしっかり
紙につける

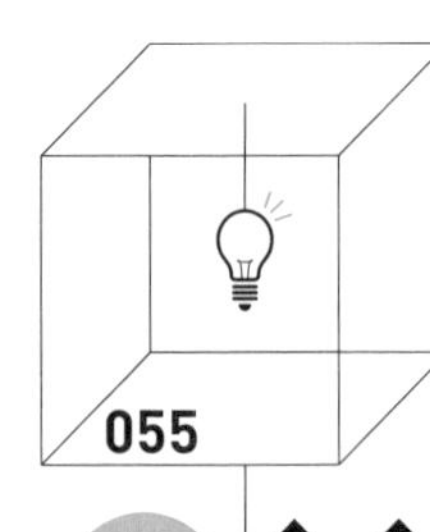

× 内容を理解するために、長文を読む

○ 設問に答えるために、長文を読む

英文法を読んだときの正しい読後感

なぜ、ここまで極端なことを言うかというと、「長文をじっくり読んでいて、設問に答える時間がなくなってしまった」という人があまりにも多いからです。

あくまで設問を解くことが最重要であり、そのために設問と関係があるところの長文を読むのが、長文問題の解き方です。

「この長文には、こういうことが書いてあったよね」という読後感(どくごかん)はダメです。「この設問には、あそこの1文が根拠で、こうやって答えたぞ！」という読後感が大切です。

長文を読む理由は「設問に答えるため」です。「味わうため」ではありません。

極端に言えば、**長文の内容がさっぱりわからなくても、設問に答えられればいいのです。**

「次の英文を読んで、次の問いに答えなさい」と書いてありますが、信じてはいけません。逆です。**「次の問いを読んで、その前の英文を読みなさい」**が正しいです。

・設問には答えられたが、文章の内容はさっぱりわからなかった受験生
・文章の内容はバッチリ味わったが、設問には答えられなかった受験生

前者は合格しますが、後者は落ちます。

問題が解ければ、長文の意味はわからなくてもいい

不合格……

「長文をじっくり読んでいて、
設問に答える時間がなくなってしまった」
という人が多い

文章の内容は
バッチリ味わったが、
設問には
答えられなかった受験生

合格!

設問には
答えられたが、
文章の内容は
さっぱりわからなかった受験生

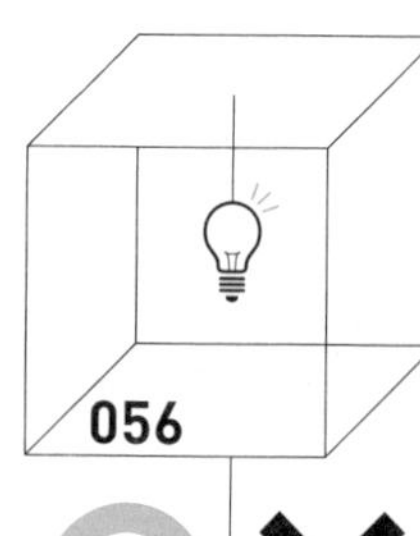

長文問題の設問をランク分けする発想がない

長文問題の設問を4色でランク分けする

長文問題を読むときも4色の蛍光ペンを用意します。設問にざっと目をとおした瞬間、

赤…すぐに正解がわかった問題
緑…たぶん正解だが、確信がない問題
黄…見たことはあるが、正解かわからない問題
青…見たことも聞いたこともない問題

にランク分けをして、設問に〇をつけていきます。

赤の部分は、どのみち正解できるので、問題そのものを無視します。正解をせっせと書く10秒さえ無駄なので、無視したほうがスピードアップにつながります。

次に、赤〇以外の設問に答えることを目的として、長文を読みます。

長文読解で必要な2つの道具

長文を読むときに、用意するものが2つあります。**1つは、黒のシャープペンシル。もう1つが青の蛍光ペンです。**

内容の正誤問題で、根拠となるところにアンダーラインを引きます。このときは、黒のシャープペンシルを使います。

長文を読んでいる最中に、わからない英単語があったら、青の蛍光ペンで単語全体を塗ります。

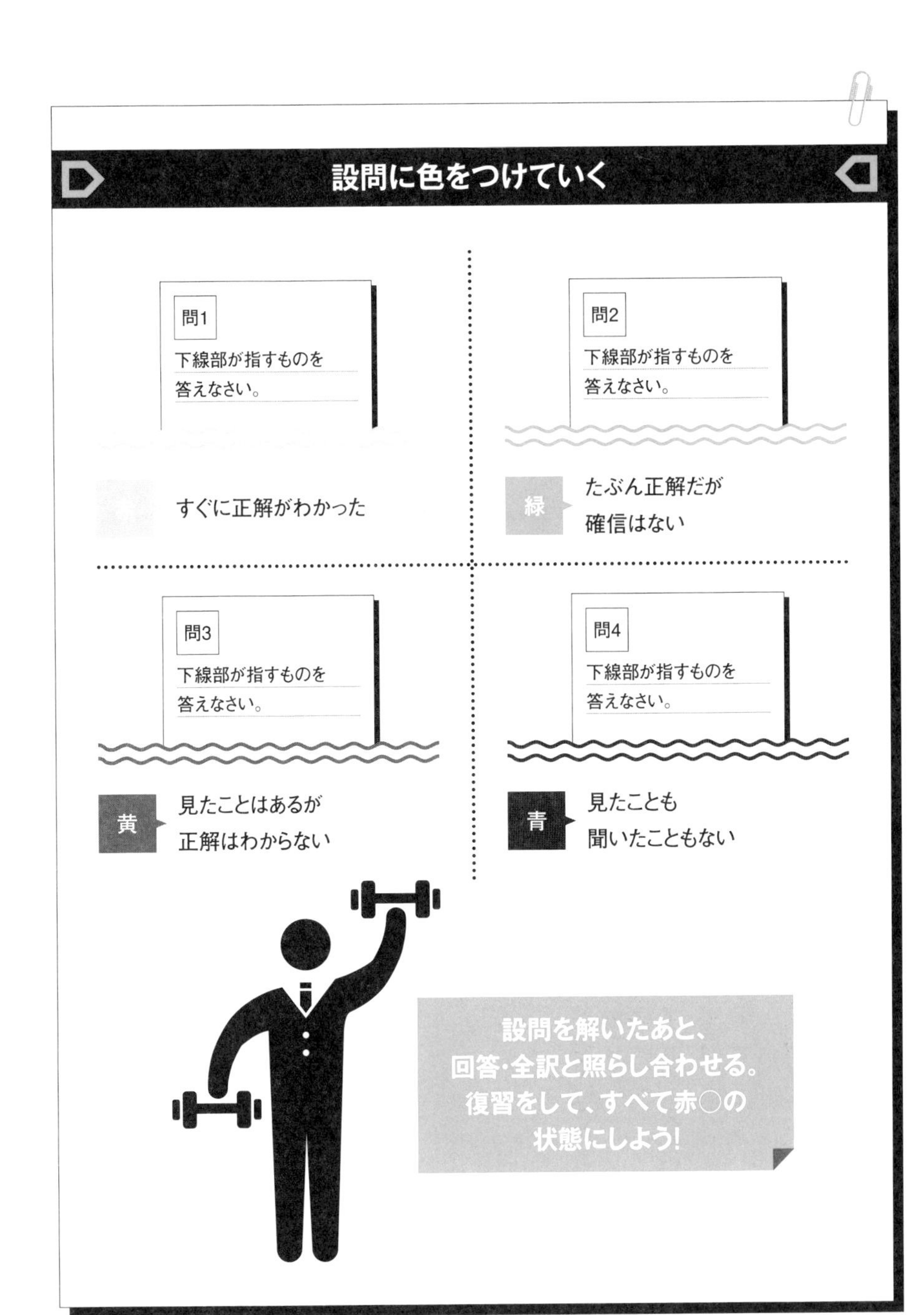
設問に色をつけていく
問1
下線部が指すものを
答えなさい。
すぐに正解がわかった
問2
下線部が指すものを
答えなさい。
緑
たぶん正解だが
確信はない
問3
下線部が指すものを
答えなさい。
黄
見たことはあるが
正解はわからない
問4
下線部が指すものを
答えなさい。
青
見たことも
聞いたこともない
設問を解いたあと、
回答・全訳と照らし合わせる。
復習をして、すべて赤○の
状態にしよう!

わからない文章があったら、青の蛍光ペンでアンダーラインを引きます。これを、1行1秒のペースで読みながらおこなうのです。パッと見て、瞬間的に判断していきます。

この作業が終わったら、赤○以外の設問に答えていきます。

答えたあとは、すぐに設問の解答を見ます。もちろん、赤○以外（緑・黄・青）の設問の解答だけです。

5分間長文読解法

最後に全訳を見て、青の蛍光ペンで色をつけた「わからなかった単語」と青の蛍光ペンで線を引いた「意味がわからなかった文章」を確認します（この時点で、わからない単語が5個以上あるなら、英単語の暗記が足りないということです）。

長文読解をこなす意味は、

・赤で○をした問題（すぐに正解がわかった問題）はどれか？
・緑で○をした問題（たぶん正解だが確信はない問題）はどれか？
・黄で○をした問題（見たことはあるが正解はわからない問題）はどれか？
・青で○をした問題（見たことも聞いたこともない問題）はどれか？

を、はっきりさせることです。

そして、

「緑で○をした問題→黄色で○をした問題→青で○をした問題の順番」に勉強していくことで、もっとも無駄を削ぎ落としたかたちで、英語の実力を身につけることができます。

これが、**「5分間長文読解法」**なのです。

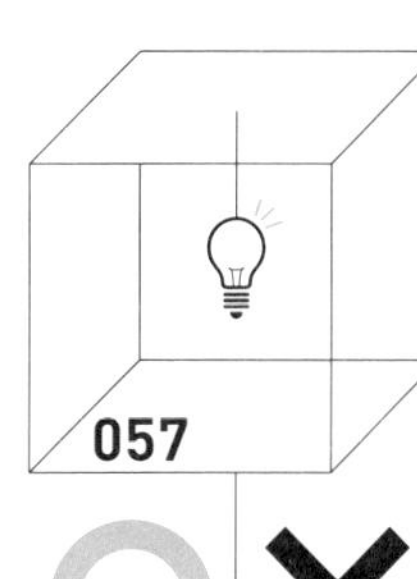

✕ やってはいけない!

長文の全訳を書く

○ これで天才に!

長文を1行1秒で読む

「長文の全訳をノートに書いてください」という宿題を出す先生がいます。

ひどいです。パワハラ以外の何物でもありません。

長文の全訳をノートに書くのは時間の無駄なので、絶対にやってはいけません。

長文のなかで、意味がわからないところはどこなのか。それだけが、あなたが知るべきことです。

国語の授業ではないのですから、全訳を書くことには意味がありません。

先生の都合からしたら、生徒を従わせることができて気持ちがいいのかもしれませんが、成績が上がることと全訳を書くことの間には、相関関係はありません。

全訳は絶対いらない

私自身、全訳を一切書かなかったからこそ、最速で勉強ができるようになり、全国模試1位が取れたと思っています。

もし、全訳を書くといった無駄な時間を使っていたら、全国模試1位は取れなかったでしょう。

全訳を書いている暇があったら、1つでも多くの英単語・英熟語・英文法を覚える時間に費やしたほうが、成績は上がるのです。

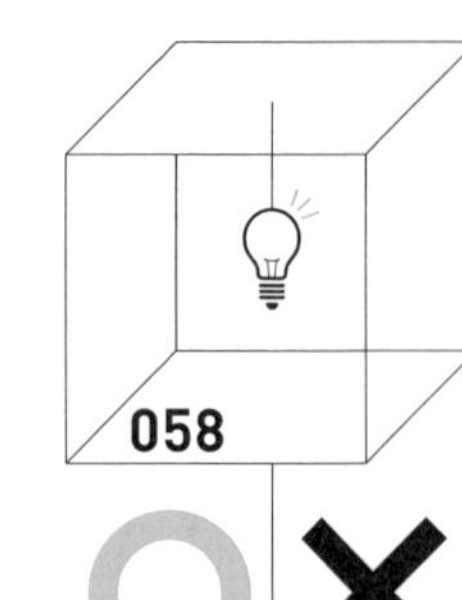

× 1日1長文読む

○ 1日20長文読む

「1日に1つ、長文を読みましょう」

こんなことを言う先生がいます。

ダメです。ぬるすぎます。

1日に1つだけ長文を読んで東大に合格できるかと言えば、まず無理です。

1日1時間で、1長文はダメなのです。1日20長文が基本です。これで、凡人と比べて20倍のスピードアップになります。

1日1時間半を長文の勉強に

1行1秒で英文が読めるようになれば、長文問題は、1長文5分で1日20長文読めるようになるのです。

ちなみに、時間は**「1長文5分」**が理想です。もちろん問題を解く時間も込みで5分です。60行の長文であれば、1行1秒で、本文を読む時間は1分。問題を解いている時間は4分ということになります。

問題数が多かったりすると1長文5分で終わらないこともありますが、長くても10分で1長文が終わるようにします。

1長文5分で、20長文だと100分なので、1時間40分。

5分以内に読めてしまう長文もあったりするので、およそ1時間30分が、1日に英語の長文問題に費やす時間となります。

1長文を5分でやれば1時間40分で20長文できる

**まずは天才に生まれ変わり
圧倒的な量の問題をこなそう**

60行の長文問題

1分（1行1秒）で読む
↓
4分で問題を解く

5分
×
20長文
=
100分（1時間40分）

覚えていた単語が
また出てきたぞ

この文脈で
この英単語が
使われるんだな

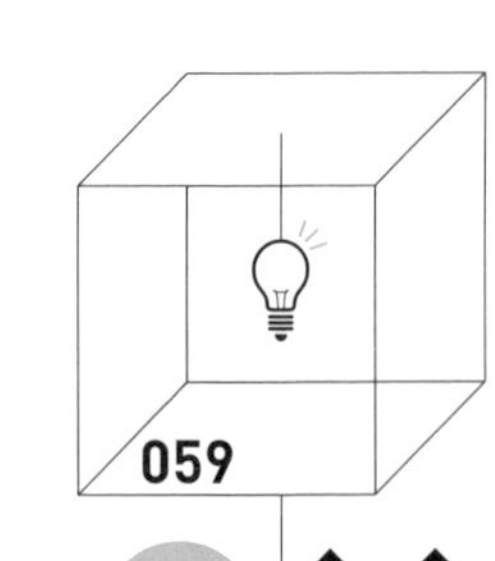

✕ 試験1週間前は、長文読解はおこなわない

○ 試験1週間前も、長文読解はおこなう

試験の1週間前になると、「まだ英文法が不完全だ」「英単語で知らない英単語がまだある」と不安になって、英語長文を読まなくなる人がいます。

これが、やってはいけない勉強法です。

なぜなら、**「ある日突然、長文が読めなくなる」**ことがあるからです。

尊敬する英語の先生から「英語長文は、試験1週間前は、最低1長文でもいいから読んでおけ。ある日突然、長文が読めなくなるときがあるのが、怖いんだ」と言われました。

私自身、英語の偏差値が70以上のときに、たまたま2週間、英語長文を読まなかっただけで、突然、長文が読めなくなった経験があります。**2週間読まなくなっただけで、長文が読めなくなったのです。**先生の言っている意味がわかりました。

2週間やらないと忘れる

言語は、2週間離れると「この言語は必要ないのではないか」と脳が勘違いしてしまうことがあるのです。

入試直前は、不安になって英語長文から離れる人がいるのですが、やめましょう。

1日1長文でもいいので、英文に目を通すことだけは、続けなければいけないのです。

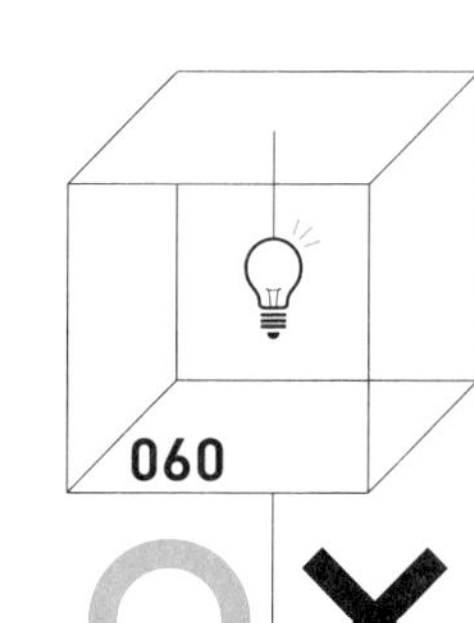

やってはいけない!

短い長文問題から解く

これで天才に!

長い長文問題から解く

「長い長文問題ではなく、短い長文問題のほうが簡単そうだから、こちらから解こう」と言う人がいます。

ダメです。やってはいけません。**長文問題は、長い長文から解くのが鉄則です。**

①超長文問題
②普通の長文問題
③20行程度の短い長文問題

の順番で解きます。超長文問題が、一番パニックになりやすいからです。

まず、一番長い問題から解きます。

問題が長いということは、設問は簡単であるケースはとても多いです。

時間がかかる分だけ、問題をやさしくしてあるというわけです。

短いほうが難しい

逆に、**20行程度の短い長文問題は、難解な問題の場合が多いです。**長文問題なのに短いわけですから、考えさせる問題になっている可能性が高いです。

「一見とっつきやすそうな長文ほど、難易度が高い長文である」というのが、長文問題の真理です。

長文問題は、一番長い長文問題から解く。これが、必勝法なのです。

長文問題は必ず長いものから解く

①超長文問題

後回しにすると
パニックになりやすい

意外と設問は
カンタンだったりする

②普通の長文問題

③20行程度の短い長文問題

一見とっつきやすいもの
ほど、設問は難しかったりする

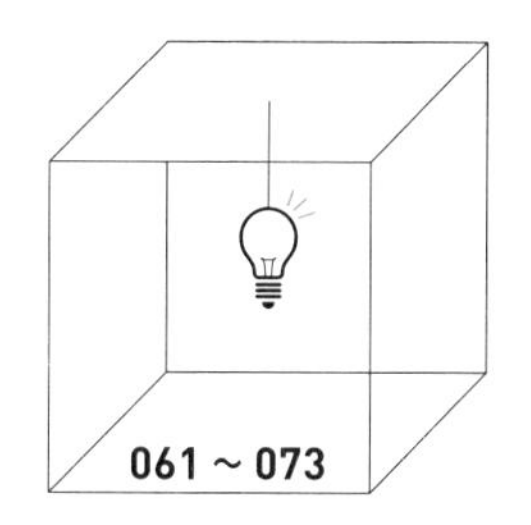

Chapter 4

やってはいけないノート術

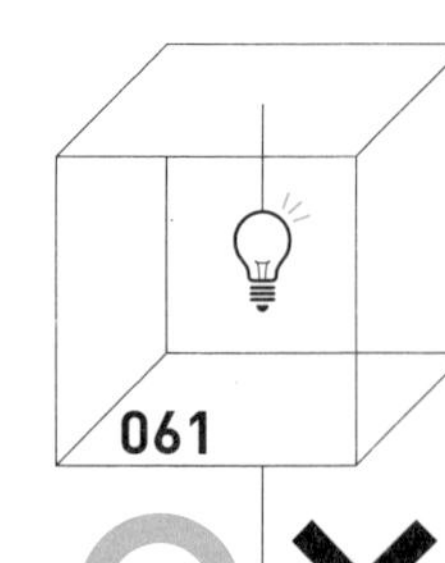

ノートを書くときには、黒ペンを使う

ノートを書くときには、青ペンを使う

ノートを書くときに、何も考えずに黒ペンを使っている人がいます。

これは、もったいないです。青ペンを使いましょう。**「青で書くだけで、1・1倍記憶力が上がる」**と考えてください。

青は「寒色（かんしょく）」と呼ばれます。逆に、赤は「暖色（だんしょく）」と呼ばれます。

寒色は、副交感神経に作用するため、冷静になって集中力が増します。暖色は、交感神経に作用するため、興奮状態になります。

プロ野球の元・中日ドラゴンズ谷繁元信（たにしげもとのぶ）捕手は、青のキャッチャーミットを使っていました。ピッチャーが、投げる前に青のキャッチャーミットを見ることで、集中力を高めて、冷静にコントロールができるようにするためです。

青は集中できる色なので、青ペンを使うだけで集中状態に入ることができます。

色の力を使いこなす

私が使っているのは、パイロットのフリクションボール（青0・7ミリ）です。ペンの持つところも青になっているので、ペンを見るだけでも集中状態がつくれます。

色の持つ力は絶大です。かつて犯罪が多発する場所で壁の色を青にしたところ、犯罪を起こそうとする人が青を見て冷静になるので、犯罪が激減したという話があります。

100円でできて集中力が上がる

逆に、赤は「赤提灯（あかちょうちん）」と言われるように、居酒屋・中華料理屋などで使われる色です。赤のテーブル、赤の店内にすることによって、興奮状態になって判断力が低下します。

そうすると、ついついビールを頼んでしまったり、必要のないものまで注文することが多くなるので、お店としては売上アップにつながります。

せっかく青は集中力が増す色だとわかっているのですから、普段から勉強するときには青ペンを使う習慣をつけましょう。

１００円でできて、集中力が１・１倍増すわけですから、いまこの瞬間にでも、やらない手はないのです。

無意識で集中状態に入れる青の力を活用しよう

青で書くだけで集中力が1.1倍上がる

寒色は「集中力を増す」色

- 副交感神経に作用して冷静になる
- 壁の色を青にしたり青い灯火にすると人が冷静になって犯罪が激減する
- 青のキャッチャーミットを使うと、ピッチャーが冷静になってコントロールがよくなる

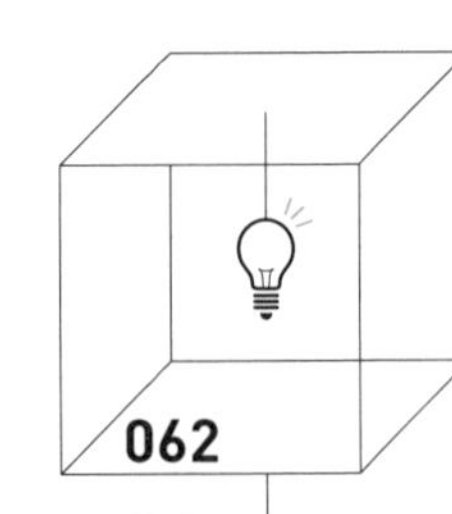

これで
天才に!

×　0・5ミリの芯を使う

○　0・7ミリの芯を使う

ボールペンで、0・5ミリの芯(しん)を使っている人がいます。

もったいないです。**せっかくなので0・7ミリの芯を使いましょう。**

書かれている文字が1・4倍太くなれば、1・4倍記憶も太くなります。

「そんな、こまかいことを……」と思うかもしれませんが、こういうこまかいことこそが大切です。

生まれつきの能力に関係なく0・5ミリを0・7ミリにするだけで、記憶する力が1・4倍も増強されるわけですから、絶対にやるべきです。

かつては、小学校では鉛筆の濃さはBが基本でした。いまは2Bが主流になってきています。

文字は太いほうがいい

文字を書くのであれば、少しでも濃く太いほうが記憶が定着しやすいというわけです。

たまにHBやHのシャープペンシルの芯を使って文字を書いている人がいますが、勉強するときには、まったく意味がありません。

濃さならば2B、太さは0・7ミリに統一し、まず道具においてだけでも、天才になってから勉強をしたほうがいいのです。

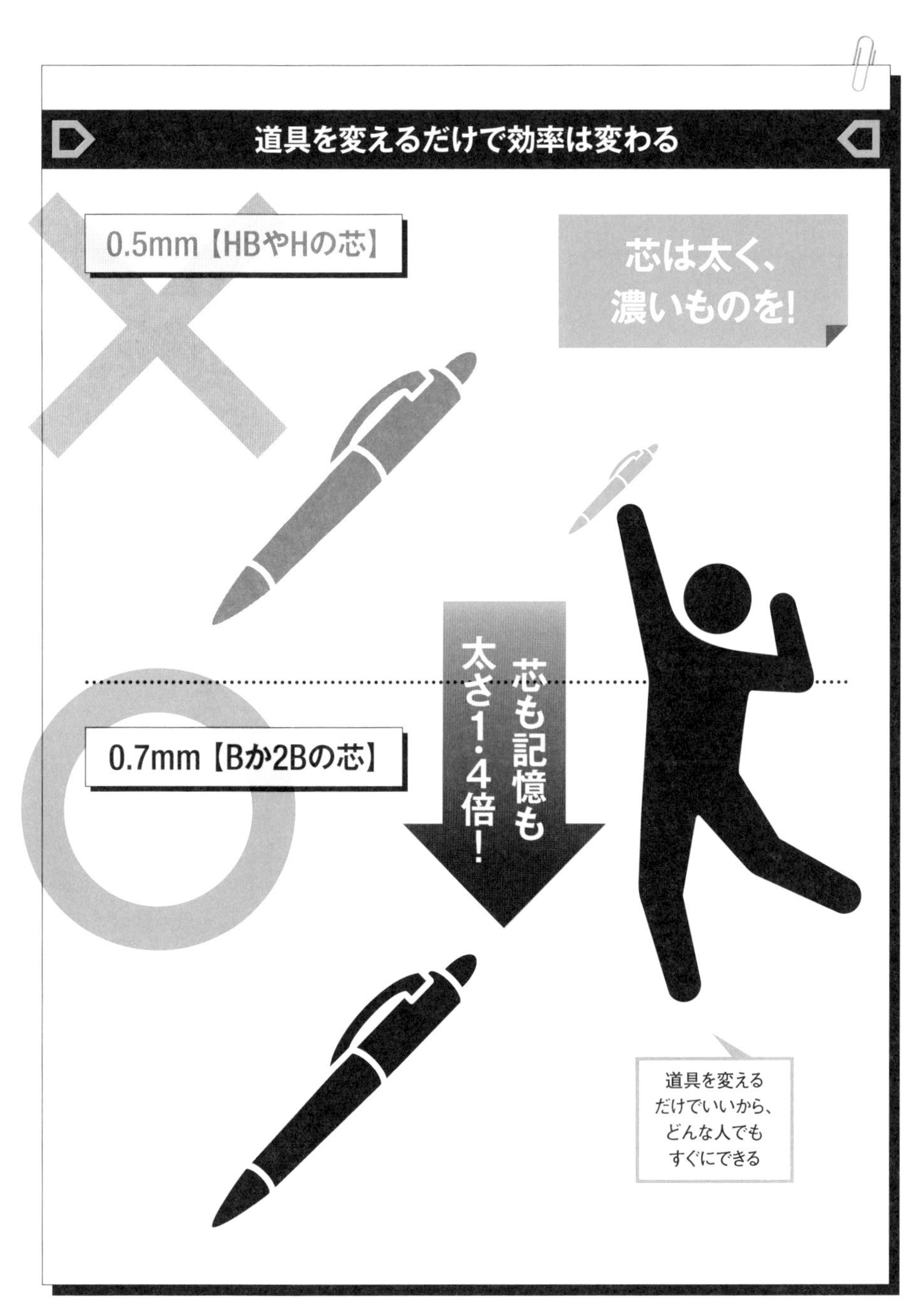
道具を変えるだけで効率は変わる
0.5mm【HBやHの芯】
芯は太く、
濃いものを!
芯も記憶も
太さ1・4倍!
0.7mm【Bか2Bの芯】
道具を変える
だけでいいから、
どんな人でも
すぐにできる

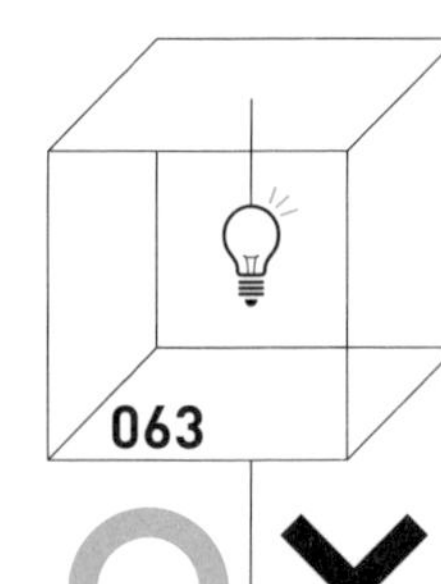

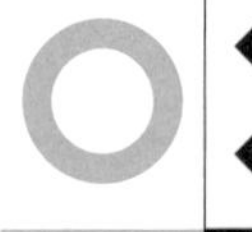

ノートを使う
ルーズリーフを使う

小学校ではノートを使うのが基本でした。ですが、**ノートには弱点があります。1枚ずつ切り取れないというところです。**

もし「この部分はもう二度と見ないな」という箇所があっても、そのまま残ります。ルーズリーフであれば、必要な部分だけを持ち歩くことができます。

ルーズリーフは整理しやすい

学校で江戸時代についての授業があり、塾でも江戸時代の授業があった場合、ルーズリーフであれば、まとめることができます。ノートでは、学校のノートと塾のノートで別々になってしまいます。

最終的に「瞬間記憶」で、1枚のルーズリーフを0・5秒で見返し、最速で暗記をしていくことができるようになります。

すべては瞬間記憶のために

その際に、ノートだと余計な部分が多すぎて「瞬間記憶」には適さなくなります。**「すべては、瞬間記憶のために」**というのが正しい勉強法です。

瞬間記憶に適さないノートの取り方はやめて、瞬間記憶がしやすいようなノートの取り方にしていくことが、正しいのです。

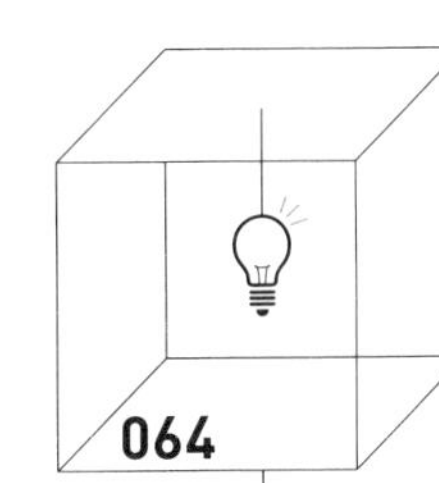

5ミリ幅のルーズリーフを使う

7ミリ幅×37行のルーズリーフを使う

もっとも瞬間記憶に適しているのは、Ａ４のルーズリーフで、7ミリ幅で37行のものです（私はマルマンの「Ｌ１１００」を使っています）。この幅、それでいて37行になっているおかげで、とても瞬間記憶がやりやすくなっています。

５ミリ幅のルーズリーフだと文字が小さすぎて、瞬間記憶には適しません。ある程度大きく、文字を書き込みやすいものでなければいけないので、７ミリ幅の37行がもっとも使いやすいのです。

私は、瞬間記憶のために、かなりの試行錯誤を繰り返しています。どのくらいの文字の大きさがいいのか、一度にどのくらいの分量ならば瞬間記憶が可能なのか、などです。

瞬間記憶のための鉄板道具

結論として**「1ページに最大12個、覚えることを書く」**のが、瞬間記憶の限界です。12個以上は０・５秒で処理できません。

「1ページにつき、覚えたいことが4個までは処理が可能で、慣れてきても12個が限界」というのが私の経験則です。

37行だと2行置きでも12個書けます。瞬間記憶のためには、７ミリ幅×37行のＡ４サイズのルーズリーフこそ、鉄板なのです。

これが「瞬間記憶」のための鉄板ルーズリーフだ

ルーズリーフの選び方にも徹底的にこだわる

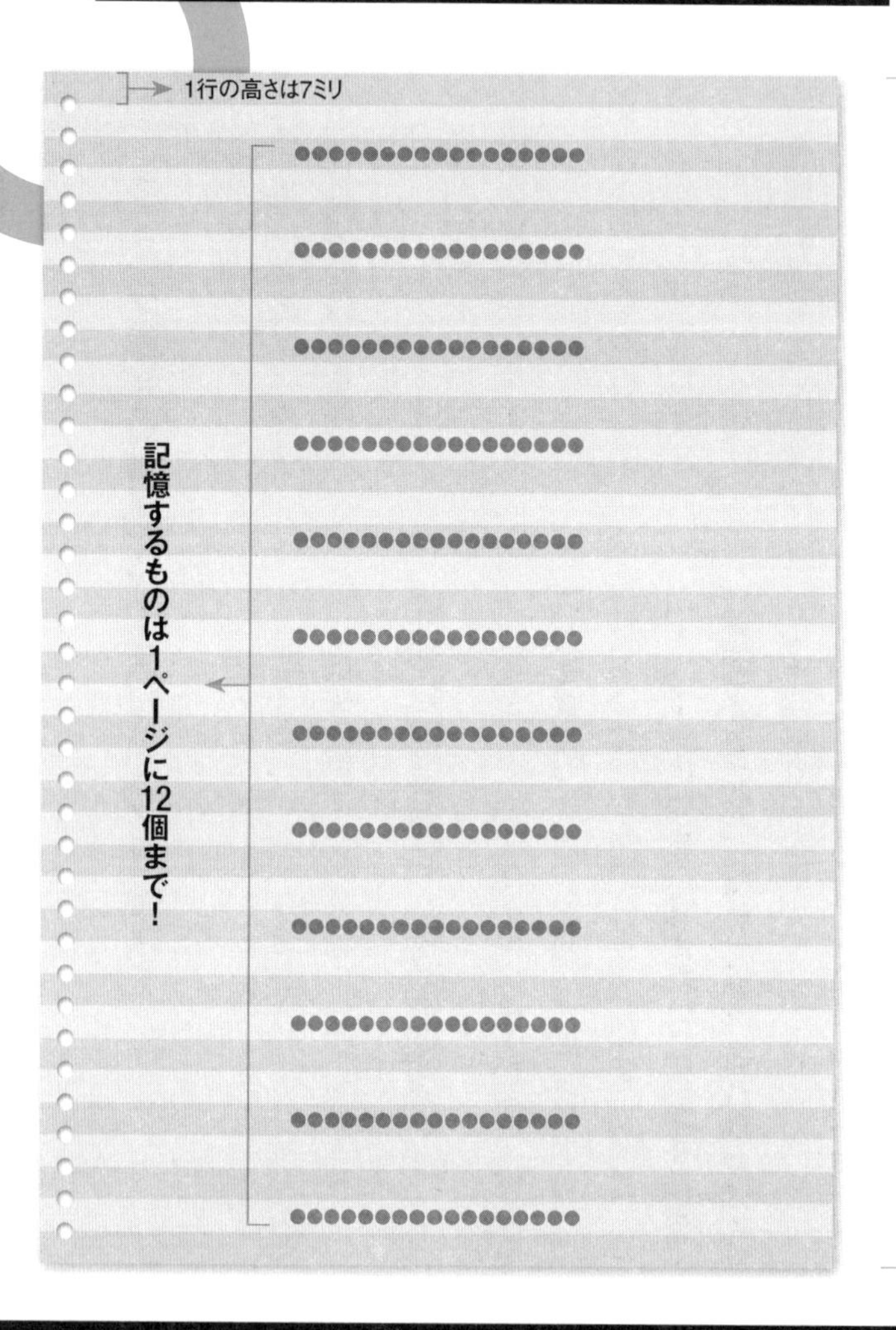

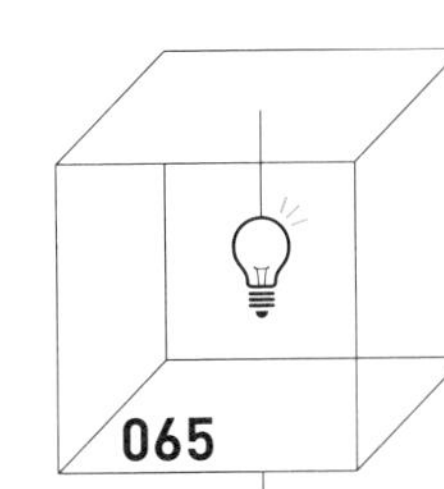

やってはいけない!

ルーズリーフは、両面とも使う

これで天才に!

ルーズリーフは、片面だけ使う

ルーズリーフは片面だけを使います（左に穴が空いている状態）。

両面を使うのは絶対にダメです。

たとえば、片面に「豊臣秀吉」について、裏面に「徳川家康」ついて書いたら、あとでまとめられなくなってしまいます。

片面に豊臣秀吉について書いていて「ここからは、徳川家康についてだな」と思ったら、別のルーズリーフにします。

そうすると豊臣秀吉だけ、徳川家康だけ、といったかたちでまとめられます。

最終的に**「片面に、覚えたいことが12個以下書いてある状態」**にしていくのが瞬間記憶をするための正しいノートの取り方です。

300枚くらいは持っておく

「ルーズリーフの片面だけを使う」というのは、すぐに習慣化できます。

50枚入りのものを、つねに300枚分くらい手元に置いておけば、足りなくなることはないので安心です。

ノートではなく、ルーズリーフ。両面ではなく、片面だけを使う。

瞬間記憶という必殺技のために、ノートの取り方も変えなければいけないのです。

1行も空けずに、ごちゃごちゃと書く

2行空けて、ゆったりと書く

瞬間記憶のためには、スカスカのノートをつくる必要性があります。

ハサミで切れるようにする

なぜ2行空けるのかというと、ハサミで切り取るときに、1行しか空いていない状態よりも、切りやすいからです。

いずれルーズリーフは切り貼りをすることになります。 完璧に覚えているところはもう必要ないので、切り取って、覚えたいところだけを瞬間記憶したくなるからです。

切り取ることまで考えると、2行空けて書くのが正解です。

ルーズリーフがもったいないといって、1行も空けずに、ごちゃごちゃとノートを取っている人がいます。

それだと、ルーズリーフを1枚0・5秒で見返したときに何も頭に入ってきません。**ゆったりとノートを取るというのは、瞬間記憶をしやすくするためには当然です。**

ではどうしたら、ゆったりとしたノートになるのかというと **「2行空けて書く」** ということを心がけることです。

「それではスカスカになってしまって、ルーズリーフがどんどん減ってしまう」と思う方もいるでしょうが、それでいいのです。

2行にまたがる文章のときは、1行だけ空けます。

たとえば、

「豊臣秀吉がおこなったのは、太閤検地（たいこうけんち）である。秀吉は太閤検地を基礎とした兵農分離によって武士、農民、町人の身分を決め、全国民を支配するための制度を創設した。」

という文章を書く場合は、以下のようになります。

このくらいゆったり書けば、あとから見返しやすいノートになります。

0・5秒で復習できるようにする

2行にまたがる場合は1行空ける。文と文の間は2行空ける。

いずれルーズリーフ1枚を0・5秒で復習するために、ノートをつくっておくというのが、正しいノートの取り方なのです。

1枚0.5秒で見るためルーズリーフはゆったり使う

あとあと切り貼りしやすいように
スカスカのノートにしておく

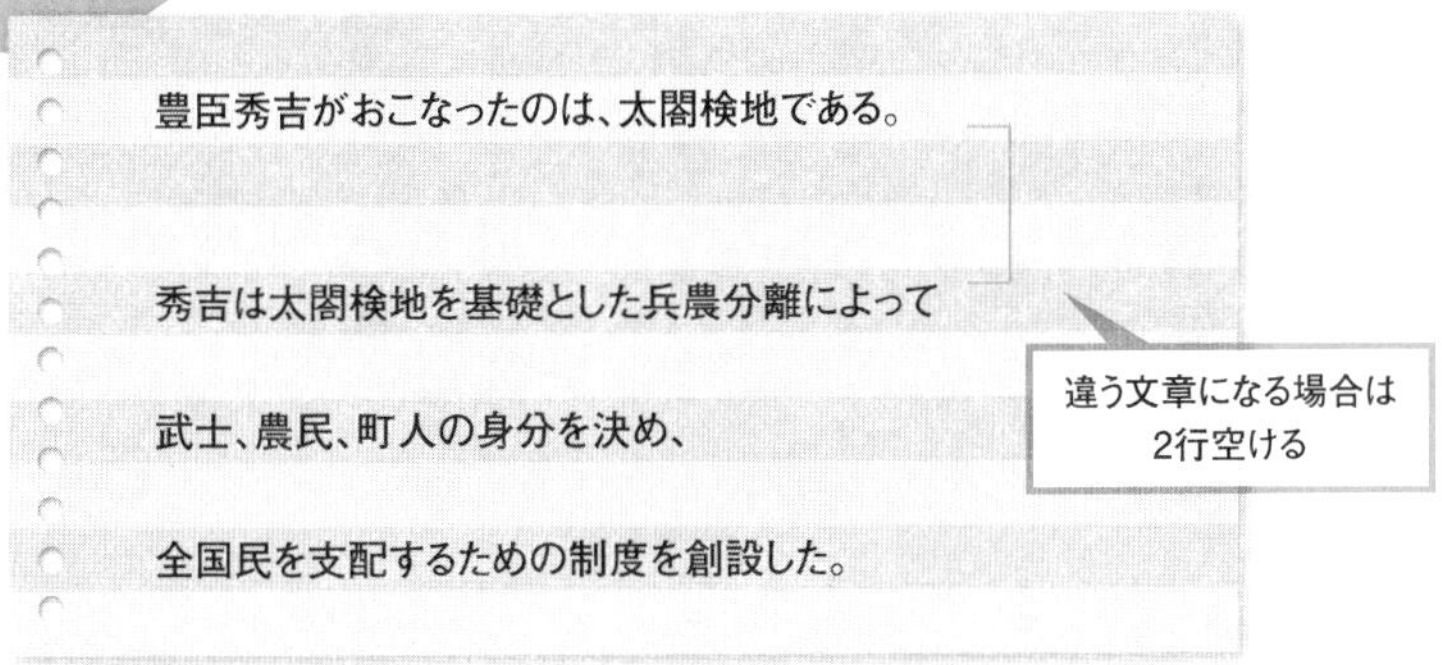

豊臣秀吉がおこなったのは、太閤検地である。

秀吉は太閤検地を基礎とした兵農分離によって

武士、農民、町人の身分を決め、

全国民を支配するための制度を創設した。

違う文章になる場合は
2行空ける

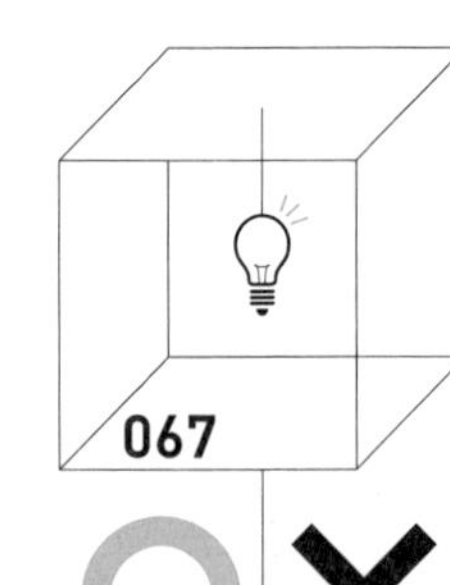

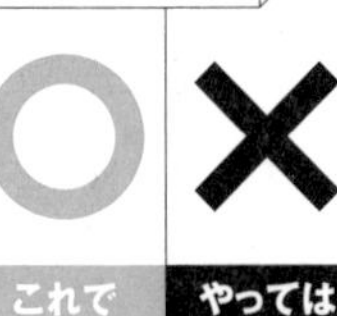

ルーズリーフは、そのまま使う

ルーズリーフは、3分割して使う

ルーズリーフは左から3・5センチ、右から3・5センチの箇所に縦に線を引きます。

左の部分はチャプターとして使います。

たとえば「江戸時代」と書いたり「豊臣秀吉」と書いたり〝いま、何について書かれているのか？〟を書くのが左の部分です。

右部分には〝行動〟を書きます。

「江戸時代に関する問題集を2冊買う」「教科書の江戸時代のところを見直す」などです。

真ん中は、普通のノートとして使います。

これで、あとで切り貼りがしやすくなるのです。

行動することは右端に書く

右側の「行動すること」の部分は、行動したら二重線で消していきます。

ノートを取っていると「これをしたほうがいいな」などと思いつきます。

それをノートの真ん中の部分に書いてしまったら、あとでまとめるときに、その部分だけ消さなければいけなくなるので、面倒くさいのです。

最初からルーズリーフを3分割して使う習慣をつけましょう。

あとで切り貼りしやすいようルーズリーフは3分割する

「瞬間記憶」に最適な、あとでまとめやすいノートにする

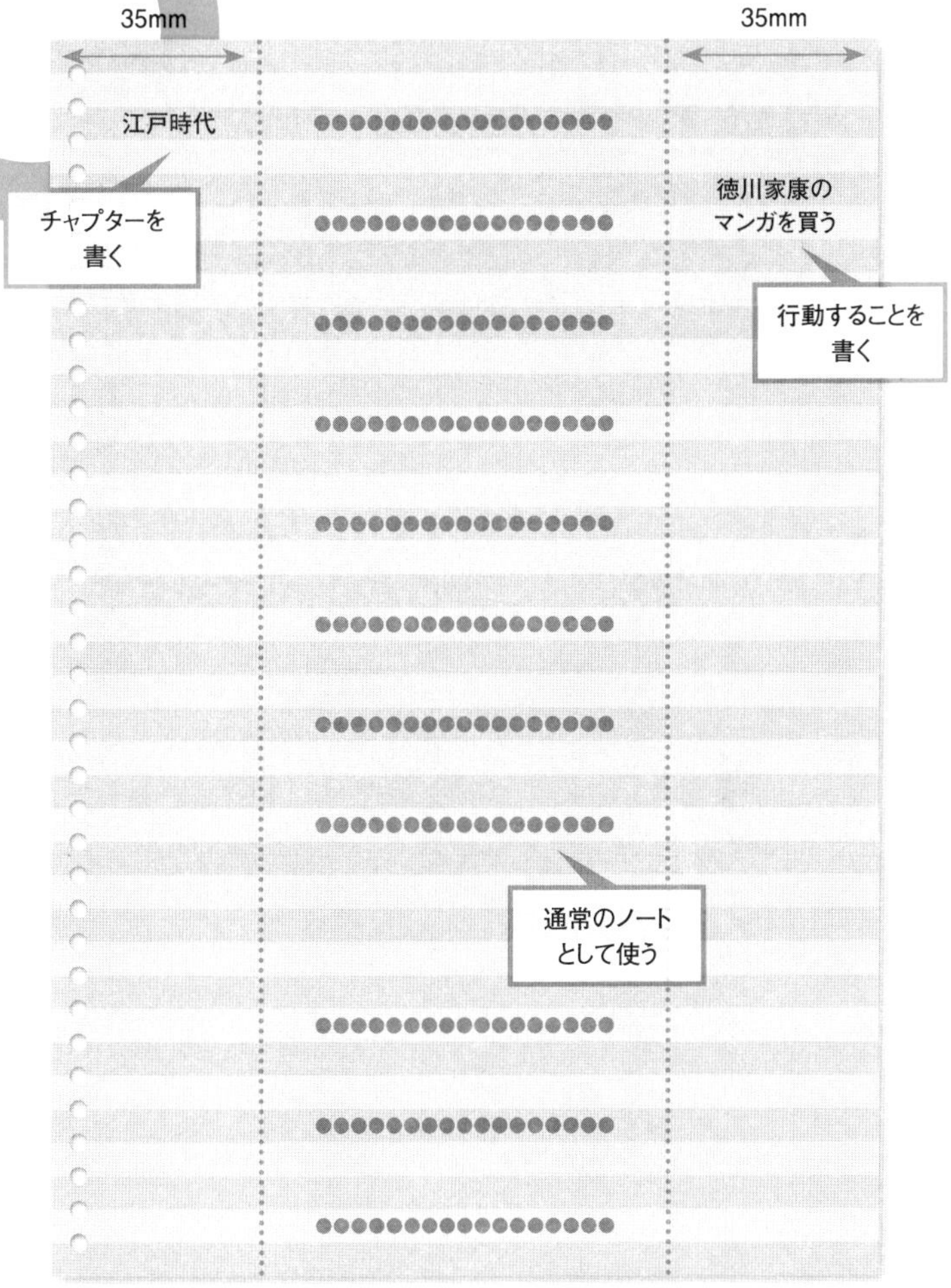

35mm
35mm
江戸時代
●●●●●●●●●●●●●●●●●●●
チャプターを
書く
徳川家康の
マンガを買う
行動することを
書く
通常のノート
として使う

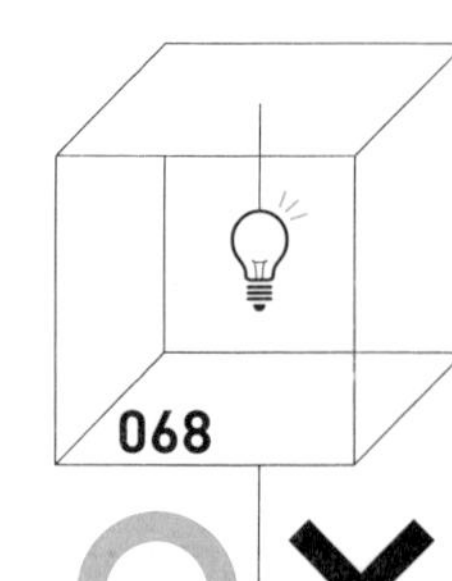

その場で重要だと思ったことをノートに取る
「見返すノート」をつくる

私は現役時代、全国模試では1位でしたが、本番の試験で落ちました。現役時代の夏の慶應模試では全国1位なのに、本番の試験では補欠合格さえしなかったのです。

本番の試験に落ちたときに、私とは対照的だったJくんに、合格の秘訣を聞きました。

彼は、模試の成績が合格確率20%以下だったにもかかわらず、慶應大学の法学部、経済学部、商学部、環境情報学部、早稲田大学の法学部、政治経済学部、商学部のすべてに合格したのです。

家から10メートルしか離れていない所に住んでいたJくんと石井貴士には、まったく逆の結果が生まれたのです。

結果として彼のほうが私よりも上だったわけですから、彼に頭を下げて、どうしたら合格できるのかを聞きました。

すると、目からウロコの方法論を伝授してくれたのです。

試験に受かることが最重要だ

「石井は『**見返すノート**』をつくっていたの？」

と開口一番、言われました。

「『見返すノート』だって？」

さっぱり意味がわかりませんでした。

私はその場で重要だと思ったことを、ノートに取るのが当たり前だと思っていました。

しかし彼に、

「試験本番1ヵ月前までの時間は、見返すノートをつくるためだけに存在するんだ。試験本番1ヵ月前までに、これを見返せば合格するというノートをつくっておいて、試験本番1ヵ月前からは、そのノートを見返すことだけに専念すればいい」

と言われました。

衝撃を受けました。

模擬試験で高得点を取るために勉強していた私と、試験本番から逆算して、どうやって暗記をすべきかを考えていた彼が、そこにいたのです。

試験本番で受かることこそ最重要で、それ以外のことは、すべてどうでもいいことだったのです。

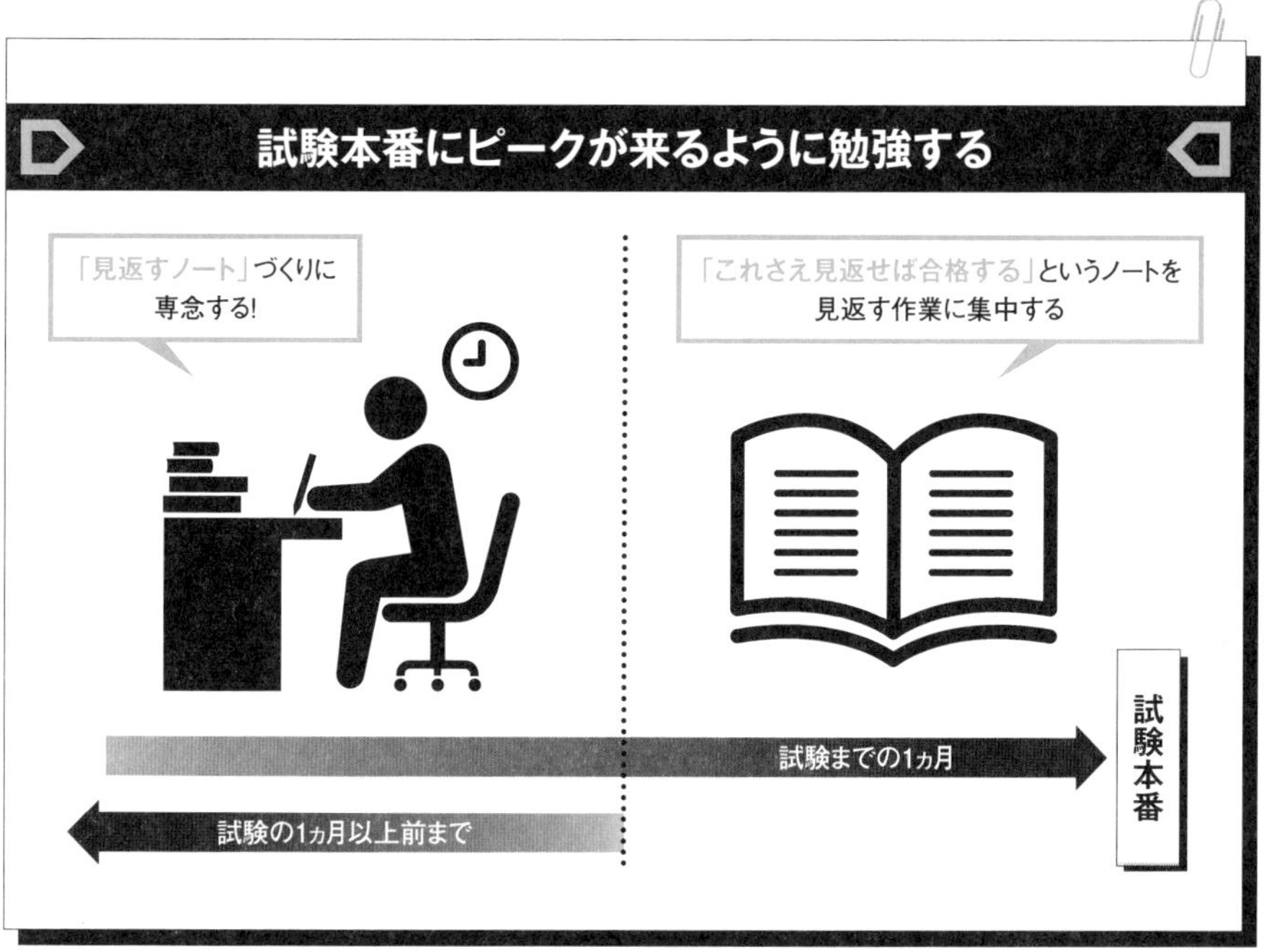

試験本番にピークが来るように勉強する

「見返すノート」づくりに専念する!

「これさえ見返せば合格する」というノートを見返す作業に集中する

試験本番

試験までの1ヵ月

試験の1ヵ月以上前まで

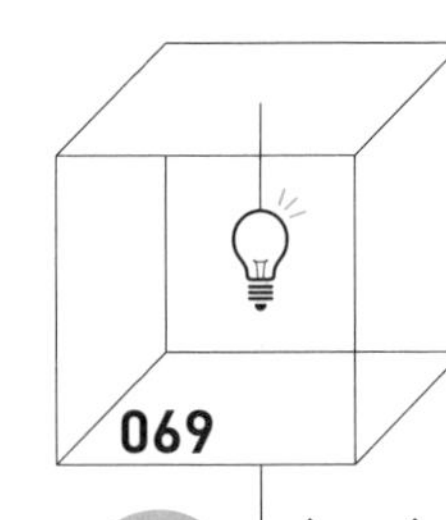

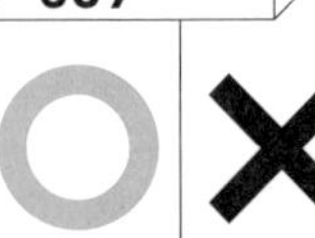

× 覚えるべきノートをためていく

○ 4色のクリアファイルに分ける

「覚えるべきことが書かれたノートをためておいて、とにかく片っ端から暗記をしよう」としている人がいます。

やってはいけません。片っ端から暗記をすることは一発ではできないので、「やっぱり私はダメだ」と絶望感が生まれるだけです。

クリアファイルも4色に分ける

4色のクリアファイルに分けると暗記がはかどります。 カラーマジックシートやルーズリーフを4色のクリアファイルに分けます。

赤のファイル…見て0秒でわかったもの
緑のファイル…見て3秒でわかったうろ覚えのもの
黄のファイル…見たことはあるが、わからないもの
青のファイル…見たことも聞いたこともないもの

赤のファイルがたまっていくほど、暗記したものが多いことになります。

赤のファイルは、家においておきます。出かけるときは、緑のクリアファイルを持って出かけます。

そうすると、空いている時間に、「見て3秒でわかったもの」→「見て0秒でわかったもの」に昇格させる作業ができます。

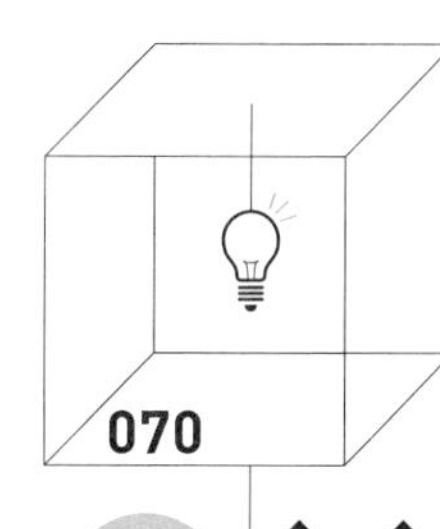

やってはいけない!

段ボールにノートを入れる

これで天才に!

4色のクリアボックスに、クリアファイルを入れる

勉強量が増えると、クリアファイルがたまってきます。

4色のクリアファイルを、4色のクリアボックスに放り込む習慣をつけましょう。

赤のクリアファイルがたまるほど、あなたが暗記した量が多くなります。つねに持ち歩くものは、緑のクリアボックスのなかから選びます。

家では黄色と青のボックスを使う

家で暗記をするときは、黄色のクリアボックスと、青のクリアボックスから選びます。

こうしておくことで、記憶をした量が目に見えるようになります。

つねに4色が目の前にあることで、

- **緑のものは、持ち歩いて赤にしよう**
- **黄色のものは、早く持ち歩けるように、緑にしよう**
- **青のものは、黄色に昇格させよう**

と、パブロフの犬のように、自動的に反応することができるようになります。

記憶の達人になるということは、無意識レベルでストレスなく、0秒で暗記に取り掛かることができる人のことなのです。

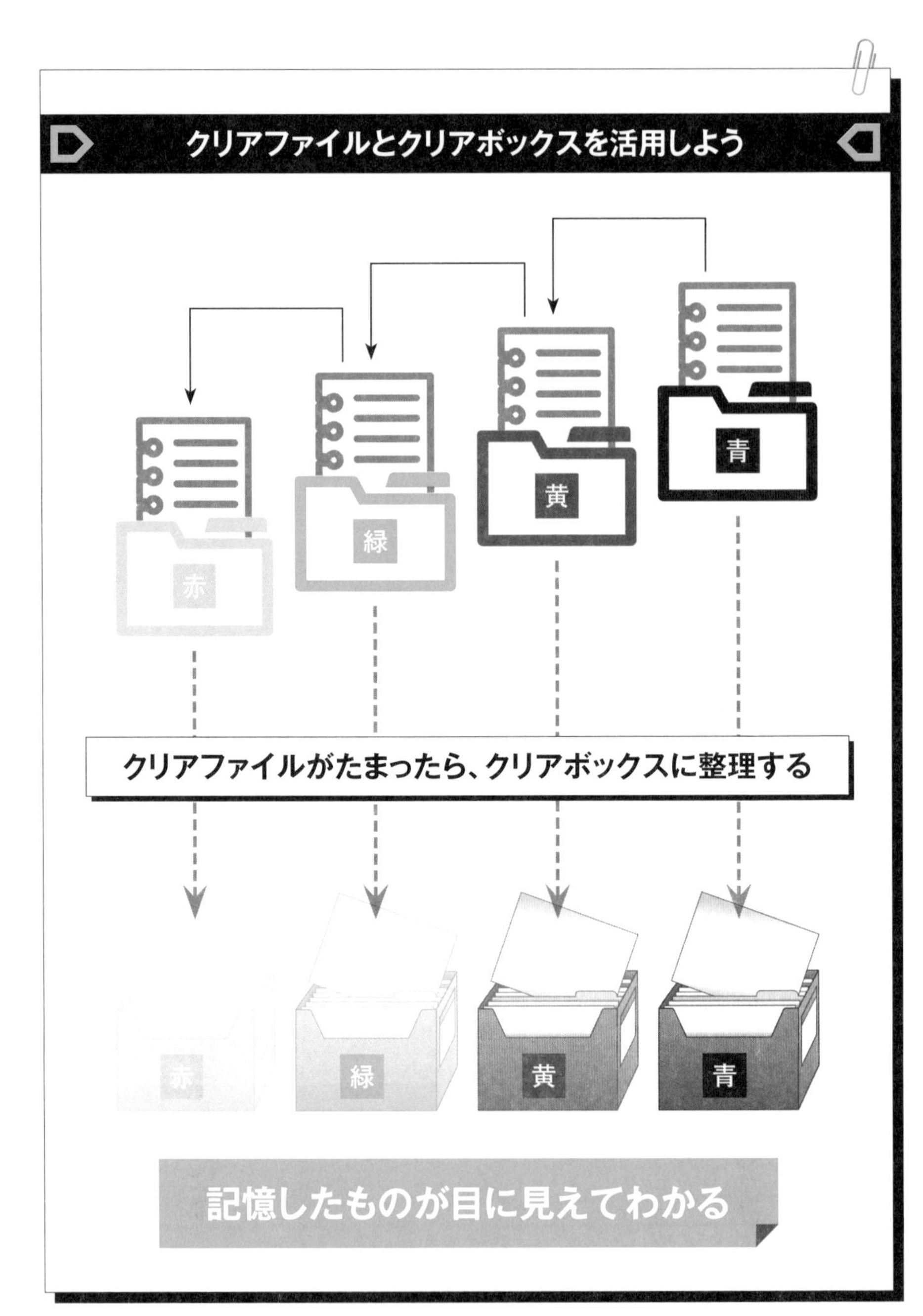
クリアファイルとクリアボックスを活用しよう
赤
緑
黄
青
クリアファイルがたまったら、クリアボックスに整理する
赤
緑
黄
青
記憶したものが目に見えてわかる

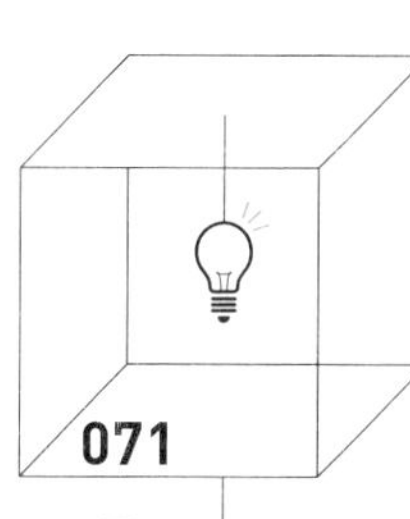

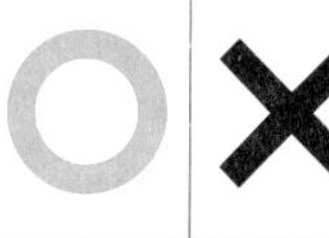

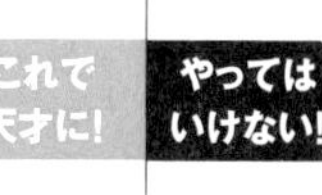

白い紙に書いて、覚える

4色に色分けされたカラーマジックシートを使って、覚える

当たり前のように、白いノートに書いて覚えようとしている方が大半です。

これは、「やってはいけない」とまでは言えないかもしれませんが、もったいないです。**せっかくなので、色がついた紙に書き、あとで目で見て覚えたほうが効果的です。**

右脳は色に反応するので、書き込む紙も4色にしたほうが効率的です。

濃い色ではなく薄い色の紙にしたほうが書きやすいです。

さらに効率的にするには、「カラーマジックシート」がオススメです。

赤・緑・黄・青の4色を1枚にまとめて形にしたシートなので、4倍効率的に暗記ができます。

私の「1分間勉強法」の公式ページで、無料でダウンロードできるようになっています（http://www.1study.jp）。

カラーマジックシートの4色のところに、

赤…見て0秒でわかったもの
緑…見て3秒でわかったうろ覚えのもの
黄…見たことはあるが、わからないもの
青…見たことも聞いたこともないもの

と書けば、4倍の効率で暗記ができます。

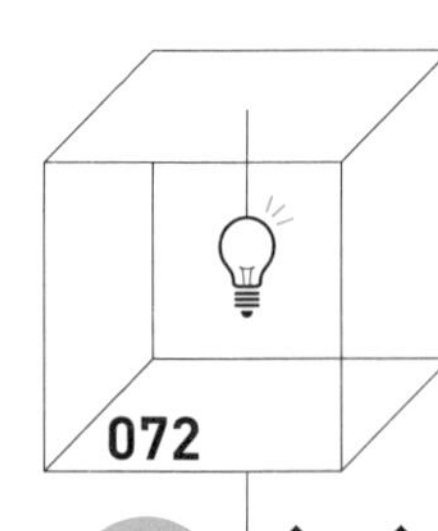

教科書に書き込んで覚える

4色の付箋を使って覚える

教科書に小さい文字で先生が言ったことを書き込んでいる人がいます。

やってはいけません。

教科書が読みにくくなりますし、余白には限りがあるので、途中で書けなくなります。

余白のスペースに限界があると最初からわかっているのですから、教科書に書き込むという行為は、やってはいけないのです。

4色の付箋を教科書に貼る

その代わりに、**4色の付箋を使って教科書に貼ればいいのです。**あとでカラーマジックシートに貼り替えることもできますので、あとからまとめやすいです。

4色の付箋をどう分けて使うかというと、英単語の場合は、

赤→名詞
緑→動詞・イディオム
黄→形容詞・その他
青→副詞・接続詞・構文

となります。日本史・世界史の場合は、

赤→人名
緑→出来事・事件

黄→その他
青→年号

となります。このように分けて付箋を使って、カラーマジックシートに貼ります。

見て0秒でわかったもの→赤のところに貼る
見て3秒でわかったうろ覚えのもの→緑のところに貼る
見たことはあるが、わからないもの→黄色のところに貼る
見たことも聞いたこともないもの→青のところに貼る

青のところに貼ってあるものを黄色に、黄色に貼ったものを緑に、緑に貼ったものを赤に昇格させていけば、暗記の状況が「見える化」できるのです。

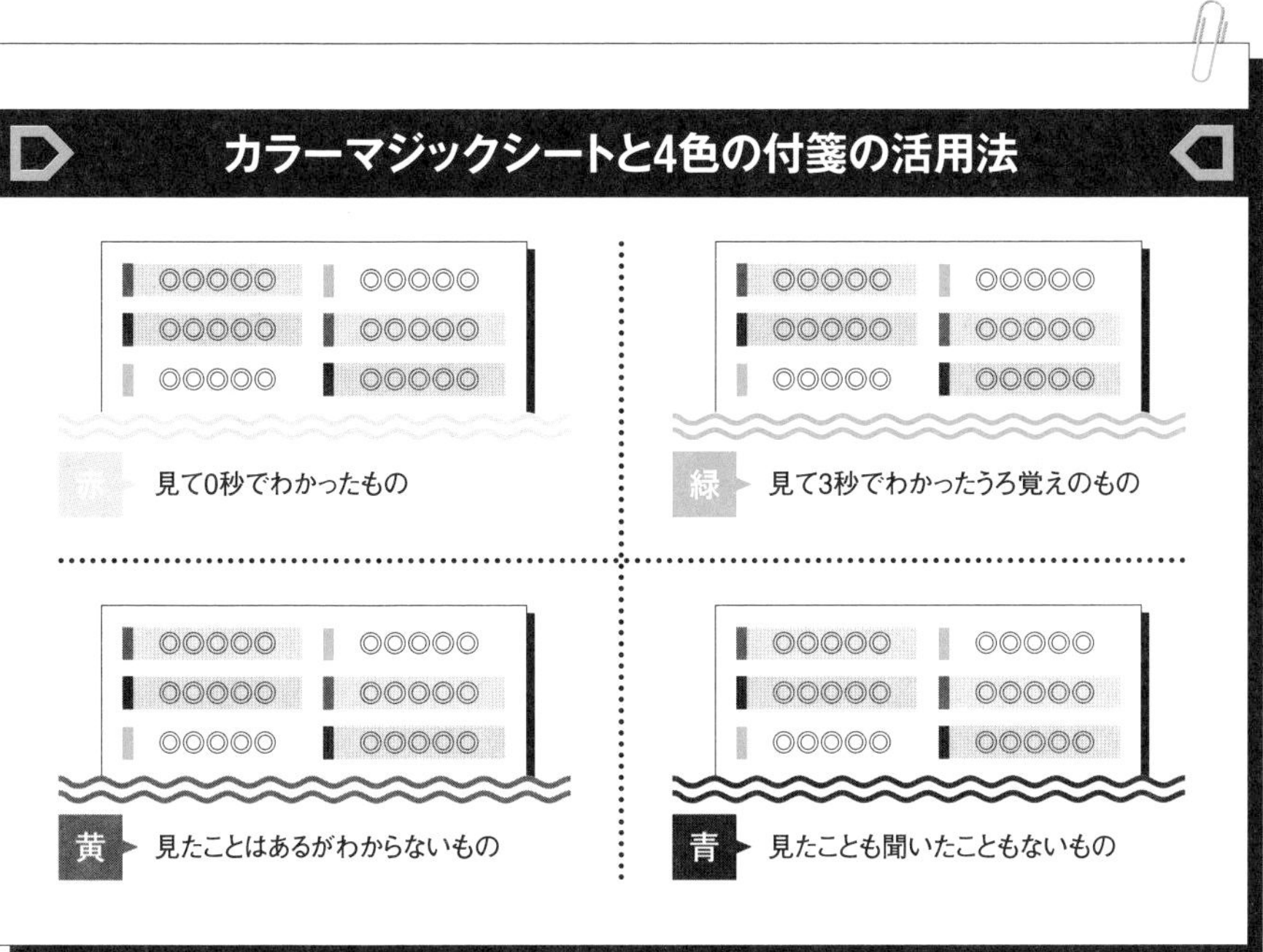

✕ 入試1ヵ月前に、新しいことを覚えようとする

○ 入試1ヵ月前に、4色のクリアファイルを見直す

入試直前は、とても焦(あせ)ります。

英単語帳が一番売れるのは12月です。3〜4月に一番売れそうなものなのですが、入試直前に焦って買う人が多いのです。

入試1ヵ月前は、手をつけたことがないものはスッパリあきらめて、過去に作成したノートを見返しましょう。

入試1ヵ月前にすべきことは、4色のクリアファイルを見返すことです。

まず、赤のクリアファイルを見返します。見て0秒でわかるものばかりですから、最速で復習ができます。もし、見て0秒でわからなくなっているものがあれば、緑のクリアファイルに格下げをしていきます。

次におこなうのは、緑のクリアファイルです。見て3秒でわかるものを、見て0秒でわかるものへ昇格していくのです。さらには、黄色のものを緑に昇格させていきます。

時間があるなら青のファイルも

残り1ヵ月だと、この作業までで手一杯だとは思います。**時間があったら青のクリアファイルにも取り掛かります。**

青のクリアファイルが0になり、黄色のクリアファイルが0になったら、あなたがすべきことは、ほぼなくなったことになります。

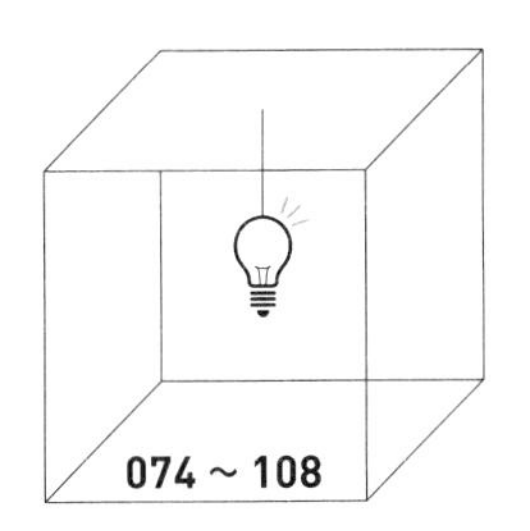

Chapter 5

やってはいけない読書術

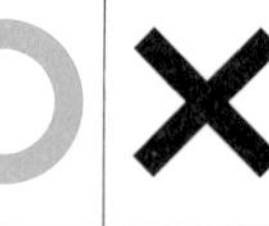

何も考えずに、目の前の本を読む

情報処理スピードを上げる訓練をしてから、本を読む

「目の前に本がある」

ただそれだけの理由で、多くの人はいきなり本を読んでいます。

それではダメです。**情報処理スピードを上げてから、本を読みましょう。**

よく電車のなかで、同じページを5分くらいかけて読んでいる人がいます。ページをめくっていないので「寝ているのかな」と思ったら、一生懸命読んでいるのです。

現代は情報化社会です。情報処理スピードが遅いというのは致命的です。

8時間かけて、参考書を1冊読み終わらない人は多いです。いや、参考書を最初から最後まで、1日で読み切ろうとする発想さえない方がほとんどです。

本を読むためのツーステップ

そんななか、1冊の参考書を1分で処理することができたらどうでしょう。10倍どころか、100倍の情報処理スピードを手に入れることができます。

①情報処理スピードを上げるトレーニングをする

②本を読む

このツーステップで取り掛かるのが、もっとも効率的なのです。

何も考えずただ本を読む

ボヤ〜

8時間かけても
参考書が1冊
読み終わらない!

情報処理スピードを
上げてから本を読む

情報処理スピードを
上げるトレーニングをする

10〜100倍の圧倒的な
情報処理スピードで本を読む

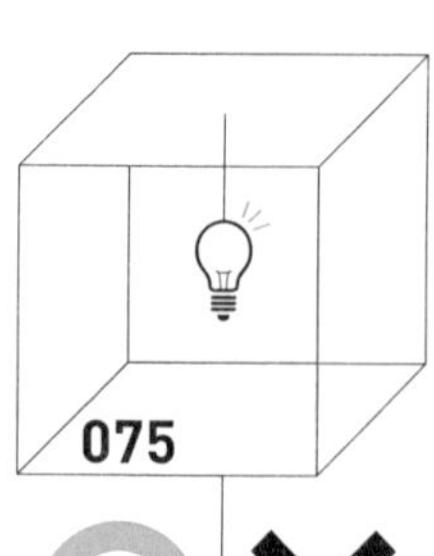

✕ 最初に勉強時間を増やそうとする

○ 1時間あたりの「回転数」を上げようとする

「どうしよう、時間がない！　このままでは志望校合格は難しい。そうだ、勉強時間を増やせばいいんだ」と考える方は多いです。

勉強時間は多いに越したことはないのですが、それよりも重要なのが**「回転数」**です。

数学において、1時間で1問しか解けない人がいます。1時間で4問解くことができたら、回転数は4倍です。10問解けたら、回転数は10倍ということになります。

つまり、**1時間で1問しか解けない人と、1時間で10問解ける人がいたら、同じ1時間でも10倍の密度の違いがあるのです。**

回転数を上げていくことが、勉強ができるようになるということです。

英単語をほとんど知らないまま英語の長文を読んだら、辞書を引きながらの作業になるので、90分で1長文こなせるかどうかということになります。

回転数アップが合格の秘訣

英単語・英熟語・英文法を完璧にしてから、1長文5分、1日20長文を100分でこなしたら、回転数は20倍になります。

単純に勉強時間を増やせばなんとかなるのではなく、**回転数を上げていくことが、成績を上げる秘訣なのです。**

「回転数」を上げれば違う時間の流れを体験できる

勉強時間を増やしても
効率が悪い

1時間で1問しか
解けない

4時間勉強しても
4問しか解けない

勉強時間を増やす前に
「回転数」を上げる

まずは問題を解く
「回転数」を上げる

回転数を上げておけば
短時間でも成果は桁違い

進学校の生徒が、夏休みまで部活に専念していて、9月から受験勉強を始めて東大に合格するというケースがあります。

なぜ、こういうことができたのかというと、彼らはそもそもの回転数が高かったからです。

ほかの人が1時間で1問を解いているのに、彼らが1時間で10問の問題を解けば、回転数10倍の状態で勝負できます。

高校2年生の段階で瞬間記憶を習得

勉強ができるようになるには、

①回転数を上げる
②勉強時間を増やす

という順番が大切です。回転数を上げると1時間あたりの情報処理スピードが上がります。そのあとで勉強時間を増やすのです。

私の場合、高校2年生のときに瞬間記憶をマスターして回転数を上げ、高校3年生のときには、1日20長文をこなせるようになっていました。

それから高校3年生になって勉強時間を1日4時間から8時間に増やしました。おかげで、全国模試1位の成績を手に入れることができたのです。

ラストスパートになっているか？

「勉強はラストスパートが大切だ」と言っている方がいます。

回転数が上がっている状態のラストスパートには意味がありますが、回転数が少ない状態のラストスパートは、止まっている状態とあまり変わらないので、ラストスパートにはなっていないことに気づく必要があります。

回転数を上げていくだけで、同じ1時間でも、まったく別の時間の流れを体感することができるのです。

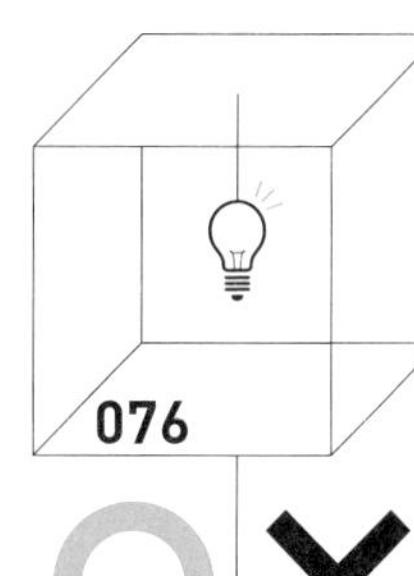

✕ やってはいけない!

1冊2時間かけて本を読む

○ これで天才に!

1冊1分で本を読む

本1冊に2時間かけて、じっくり読んでいる人がいます。

遅すぎます。

「私は速読の訓練を受けたことがあるんだぞ。1冊10分で読めるんだ」と自慢する人にも会ったことがありますが、私は遅すぎて「ハエが止まるスピード」と呼んでいます。

1冊1分で読む（200ページの本の場合）。これが天才の読書スピードです。

「1冊1分なんて、無理だ。できるわけがない」と思った方もいるかもしれません。

では、お聞きします。

「あなたは、1冊1分で読むためのトレーニングを、6ヵ月間したことがありますか?」

ほとんどの方が「ない」と答えます。やってみて挫折したわけではなく、やったこともない方ばかりなのです。

1分読書もトレーニングが必要

私は「1冊1分で本を読む方法」を2007年から伝授していますが、受講者は1300人以上で、挫折者はゼロです。

瞬間記憶も、3ヵ月はトレーニングが必要です。

1冊1分も、6ヵ月はトレーニングが必要であるという、ただそれだけなのです。

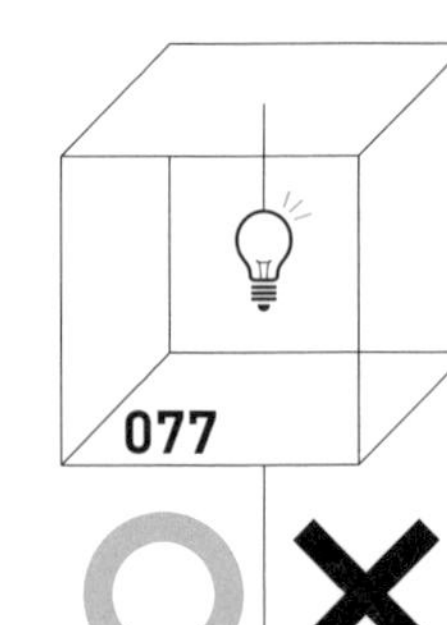

× やってはいけない!

1ページ1秒でめくっていくのがすごいと思っている

○ これで天才に!

見開き2ページを0・5秒でめくっていくのが当たり前だ

「1冊1分ということは、1ページ1秒なんですね」と言う人がいます。

違います。

200ページの本だと、1ページ1秒では200秒なので3分20秒かかります。

「見開き2ページを1秒で処理していくんですね」と言う人もいるのですが、それだと100秒なので1分40秒かかります。

見開き2ページを0・5秒でめくる。これだと50秒なので、1分以内に1冊を読み終えることができます。これを私は**「ワンミニッツ・リーディング」**と名付けています。

「見開き1秒も0・5秒も、たいして変わらないじゃないですか！」

と言われることが多いのですが、見開き1秒と0・5秒では天と地ほどの差があります。50歳で寿命が尽きるか100歳まで生きるのかと同じくらいの違いです。

100冊読むと差が出る

1冊だとさほど差がつかないかもしれませんが、100冊、1000冊本を読んだら、約100分、1000分の違いになります。

見開き0・5秒のスピードでページをめくっていくことが、ワンミニッツ・リーディングなのです。

1ページ1秒ではなく、見開き2ページ0.5秒だ

見開き2ページを0.5秒でめくる

1000冊読めば
1000分（約17時間）の差に

例）200ページの本なら、

1冊 ＝ 0.5秒 × 100見開き ＝ 50秒

これがワンミニッツ・リーディング

078

×

やっては
いけない!

脳内音読をする

○

これで
天才に!

ページをめくる作業に集中する

本を読むのが遅い方は「脳内音読」をしています。脳のなかで音読をしながら本を読んだら読書スピードは遅くなります。

脳内音読の悪習慣をなくすには、ページをめくることに集中することです。見開き2ページを0・5秒でめくっていたら、脳内音読をしている余裕などなくなります。余裕があるから、脳内音読をしてしまうのです。

脳の情報処理スピードは、ページをめくる速度に比例します。ページをめくるスピードが遅い人は、脳の回転数も遅いです。見開き2ページを0・5秒でめくる習慣がつけば、脳の回転数も追いついてきます。

じつは脳は、慣れれば簡単に見開き0・5秒で情報を処理することができます。私は「6ヵ月間、見開き0・5秒以外のスピードでページをめくってはならない」という宿題を生徒に課しますが、そうすると情報処理スピードが速いのが当たり前になります。

めくる作業が難しい

難しいのは「めくる作業」です。**ワンミニッツ・リーディングは「ページめくり術」です。**見開き2ページを0・5秒でめくれるようになると、自動的に脳の情報処理スピードが追いついてくるというイメージです。

ワンミニッツ・リーディングはページめくり術だ

× 難しいのは本を速く読むことだ

○ 難しいのはページを速くめくることだ

ワンミニッツ・リーディングのやり方

右手で本を持ち、左手でめくる

見開き2ページを0.5秒でめくる習慣がつく

脳の回転数がそれに追いつく

079

× 眼球運動をする

○ 周辺視野を使う

「速読をしています」と言って、講師の方が激しく眼球運動をしている動画を見たことがある方もいるでしょう。

ワンミニッツ・リーディングでは眼球運動はしません。眼球運動をしたら、目を動かして一言一句文字を追っている時間がもったいないですし、目も疲れます。

眼球運動をするのではなく、周辺視野を使う。これがワンミニッツ・リーディングのときの視野に対する考え方です。

周辺視野とは、1つのものを見ていたら、ほかのものも目に入ってしまうというものです。「左ページの図で人差し指だけ見てください」と言われても、全体が目に入ってしまうはずです。それが周辺視野です。

周辺視野を使って本を読む

見開き2ページを0・5秒で、右手で本を持って、左手でページをめくるのがワンミニッツ・リーディングです。

左手でものすごいスピードでページをめくるので、手を見ようと思ったら、周辺視野で見開き2ページが丸々見えてしまう。

結果的に、瞬間記憶として内容が頭に入ってくる。それが、ワンミニッツ・リーディングです。

ワンミニッツ・リーディングは周辺視野の使い方がカギ

眼球運動をしていたら
目が疲れて勉強にならない

周辺視野を使えば何時間やっても
目が疲れることはない!

「人差し指だけ見て」
と言われても
自然と全体が見える

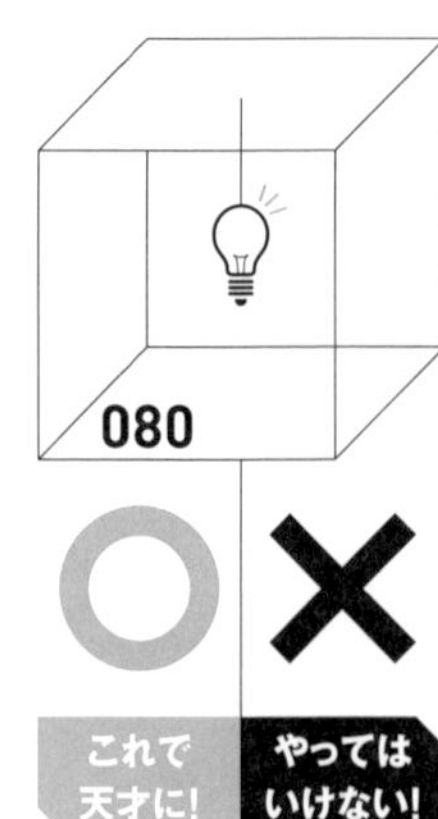

✕ 本を速く読むには速読術しかないと思っている

○ 脳のなかの時間の流れを遅くすれば1冊1分で読める

「1冊1分で本が読める講座を開催しています」と言うと「それって速読ですか?」と、もう200回以上聞かれました。

実際は、1冊1分に速読のスキルは使っていません。では、何をしているのか。

「脳内における体感時間を遅くしている」というのが正解です。

「美人の隣に座っていると、1時間が1分に感じる。熱いストーブの上に腰掛けたら、1分が1時間に感じる。これが相対性理論です」（アルバート・アインシュタイン）という言葉があります。

快楽の時間は一瞬で過ぎ去り、苦痛の時間は永遠に感じるというのが体感時間です。

勉強を楽しんではいけない

「勉強は楽しい。あっという間に時間が過ぎる」という人を目指すのではありません。「つらい。なかなか時間が過ぎていかない」という状態を目指すのです。

勉強を楽しむと、1時間の勉強時間を1分に感じてしまうリスクがあります。

それよりも、**脳内における体感時間を遅らせたほうが、同じ1時間の勉強時間でも60時間分の勉強時間に感じるので、効率が上がるのです。**

1冊を1分で読むために脳内の体感時間を遅くする

「勉強が楽しい。あっという間に時間が過ぎる」

美人の隣に座っていると、
1時間が1分に感じる。
熱いストーブの上に腰掛けたら、
1分が1時間に感じる。
これが相対性理論です

【アルバート・アインシュタイン】

「つらい。なかなか時間が過ぎていかない…」

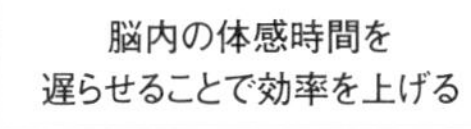

脳内の体感時間を
遅らせることで効率を上げる

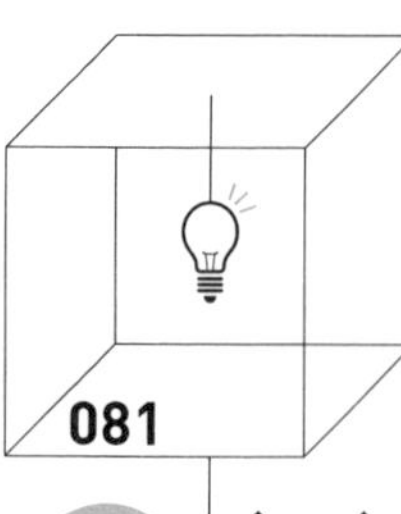

これで天才に!

やってはいけない!

精読をすることが素晴らしいと思っている

精読かつ、多読がいいに決まっていると思っている

「本はじっくり読むものだ」という精読（せいどく）の信者の方は、とても多いです。それならば、精読かつ多読のほうがいいに決まっています。

我々は1冊1分で本を読んでいますが、ページをめくることに対して、イライラしながらめくっているので、体感時間を1時間にしながら、1冊1分で読むことができます。

1冊1分のときの絶対時間は1分だが、相対時間は1時間である。これが、ワンミニッツ・リーディングの感覚です。

「1冊1分では、内容がわからないのではないか。内容がわからなければ意味がないぞ」と言う人がいるのですが、体感時間は1時間なのですから、感じ方としては精読しているのと同じです。

天才は精読かつ多読

「1冊1分は、飛ばし読みなのではないか」と言う人もいるのですが違います。めくる作業をすることにより、体感時間を長く感じさせているだけというのが正解です。

精読か？　多読か？　という二者択一は、凡人の発想です。**天才は、精読かつ多読がいいに決まっていると考えています。**ワンミニッツ・リーディングを使えば、精読かつ多読が当たり前になるのです。

ワンミニッツ・リーディングは多読かつ精読

本はしっかり精読するべきだ

「多読」かつ「精読」なのが

ワンミニッツ・リーディング

「多読」

「精読」

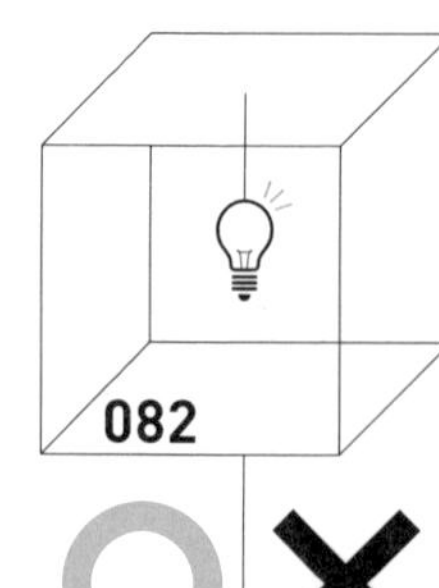

本を読む時間がある人は、暇に決まっている

本を読む時間がある人が、さらに時間をつくり出せる

「私は忙しいんだぞ。本を読む時間なんて、あるはずないじゃないか」と言う人がいます。「本を読める時間がある人は暇に違いない」と決めつけている人さえいます。

実際、忙しい人ほど本を読んでいます。暇な人ほどスマホでゲームをしたり、飲みに行っていたりしています。

本は、時間をショートカットするために読むものです。著者が書くために1カ月、3カ月と費やした時間を、1500円で買うことができるのが本です。

たとえば心理学を学びたいとスクールに通えば、1年以上かかり通学する時間もかかります。何十万円かかるかもしれません。

ですが本を買えば1500円で済みます。本を買って読むだけで、心理学スクールに通うはずだった時間をつくり出せたのです。

読めば読むほど時間ができる

本は、読めば読むほど時間ができます。「時間術」に関する本を200冊読めば、時間のつくり方がわかります。

〝時間をつくり出す方法〟を自分自身で編み出そうとしても、労力がかかります。時間術を研究している人がいるのですから、彼らの本を読めばたっぷり時間が手に入ります。

「通勤時間は片道2時間かかっている。これが当たり前だ」

という人が、時間術の本を読んで、通勤時間30分のところに引っ越したら、片道90分の節約になり、1日3時間が生まれることになります。

孫社長も読書で変わった

ソフトバンクの孫正義(そんまさよし)社長は、がむしゃらに働いて入院し、入院中に大量の本を読みました。

「こうすれば失敗しなくて済んだのに」

「これからはこうすれば失敗しなくて済む」

とわかり、退院後は、ものすごいスピードでビジネスを成功させました。

時間がないから本を読めないという考えは、間違っています。本を読めば読むほど、時間はできるのです。

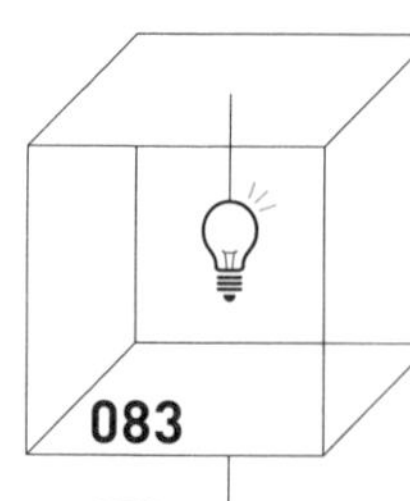

083

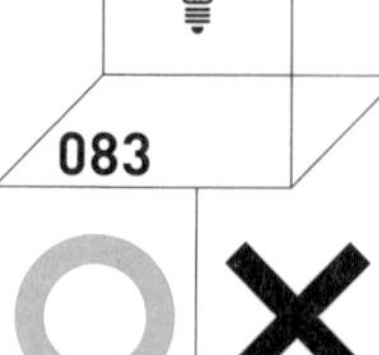

「好きな本」を読む

「気になった本」を読む

「好きな本を、たくさん読みたいなあ」と言う人がいます。

残念ながら、これが凡人の思考回路です。**最後まで読み終わらないと、その本が好きな本かどうかはわからないのです。**

私自身、「この本は好きではないな。装丁（そうてい）（本の表紙）が気にくわない」と思っていた本がありました。そんな折、友人から「絶対に読んだほうがいいよ」と言われ、しぶしぶ読んだ本があります。読んでみたら素晴らしい本だったことがわかり、その本が好きになったのです。

多くの人は、「好きな本を読みたい」と思っています。

ダメです。**好きな本というのは、読む前には存在しないからです。**読み終わって初めて、好きな本が存在するようになるのです。

直感に従って本を読む

ではどうしたら、いい本に出会えるのでしょうか。

「気になった本を読む」というのが正解です。「気になる」というのはどういうことかというと、「いずれ自分に必要だ」「いまの自分に足りないものが書いてある」と直感で感じているということです。

知っている内容ばかりが書いてある本を読んでも、人生は変わりません。「そんな考え方があったのか！」と気づかせてくれる本が、いい本なのです。

枠内思考と枠外思考

人は誰しも**「枠内思考」**で生きています。「これはこういうものだ」という凝り固まった思考回路が、枠内思考です。

「本があったら、読むものだ」と、多くの人は疑いなく思っています。でも、ヤギが本を見たら「あ、食べ物だ」と食べるはずです。

「本は読むためのものである」という「枠内思考」が、「ヤギにとってはエサである」という**「枠外思考」**を手に入れることで、壊されたのです。

こういった枠外思考をどんどん手に入れられるのが、本を読む醍醐味（だいごみ）です。

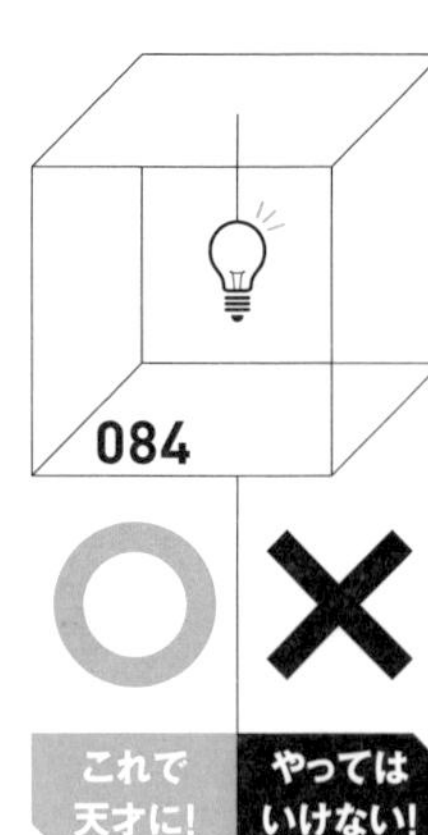

×　やってはいけない!

自分に関係がある本を読む

○　これで天才に!

自分に関係がない本を読む

「この本は自分に関係ないから買わない」と、決めつけている人がいます。

ダメです。**自分に関係がある本ばかりを買っていたら、「枠内思考」のままです。**

「この本には私と同じ考えが書いてあったので、いい本だ。あの本は私とは意見が違ったから、ひどい本だ」

という考えの人が、とても多いです。

ネット書店のレビューでも、「賛成です！　星5！」「反対です！　星1をつけてやる」と書いている人がいますが、逆です。

多くの人が「賛成」と言っている本は、可もなく不可もない、つまらない本なのです。

「私とは考え方が違うので、星1だ」と書かれている本のほうが、あなたの枠を取り払ってくれる可能性が高いのです。

出版する価値があるから本がある

「ひどい」と批判されている本だとしても、出版する価値があると思われているから、本になっているわけです。

1冊出版するのに、出版社は約300万円のコストをかけています。「出版する価値がある」と賛同して、世に出されたわけです。

出版社が「この考え方は世に出す価値がある」と結論づけたのです。

いまの自分に関係ない本がブレイクスルーをもたらす
私にはスピリチュアルの
本だけでいいのよ
神様〜
スピリチュアル〜
引き寄せ〜
一見、私には関係ないけど、
この本もおもしろい!
芸術
ビジネス
小説
「枠外思考」を手に入れよう!

「どうして、こんな本が売れているんだ！」という本が、出版する価値がある本です。ほかの人とは、考え方が違う本だからです。

読者のほとんどが「私と同じ考えだ」と思う本は売れませんし、ファンもつきません。

推理小説でも「私はこの人が犯人だと思った。やった！　的中した！」という小説は、売れません。「この人が犯人だなんて思わなかった。ひどい！」という本が、売れます。

関係ない本が気づきをくれる

世の中、自分に関係がない本だらけです。ですが、**自分に関係ない本のほうが「枠外思考」が手に入ります。**

スピリチュアル系の本ばかりを読んでいる人は、「ビジネス書は関係ない。天使が僕にお金をくれるには、どうしたらいいかが知りたいんだ」と思っているかもしれません。

その人がビジネス書を読めば「この本が天使だ！　お金持ちになる方法が書いてあるじゃないか」と感銘（かんめい）を受けるかもしれません。

ブレイクスルーをするために本を読む

私自身、元々はテレビ局のアナウンサーだったので、話し方の本には興味がありましたが、ビジネスには興味がありませんでした。

ですが、あるときビジネスの本を読んで、

「そうか。話したことをビデオに録画して売れば、お金になるのか。テレビに出るよりも、ビデオで話したほうが、アナウンサーよりもいいじゃないか」

と枠外思考を手に入れて、ビジネスの世界に飛び込みました。

あなたに関係ない本こそ、あなたに関係がある本です。関係ない本が、あなたにブレイクスルーをもたらすのです。

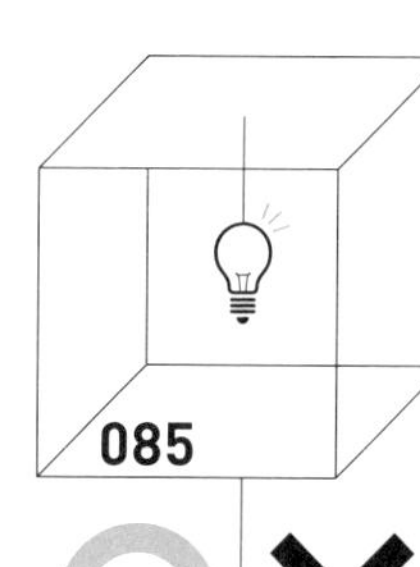

×「月に1冊読めたらいいな」と考える

○「年に1000冊読むのが当たり前だ」と考える

「月に1冊は読んでいる。私は読書家だ」と言う人がいます。

まったく読書家とは言えません。**1日3冊ペースで、月に90冊が普通です。**

月に90冊だと12ヵ月で1080冊になる計算ですが、休む日もあるので、1000冊くらいになるイメージです。中谷彰宏先生や勝間和代先生といった〝知の巨人〟クラスは、年間1000冊本を読むのが普通です。

年間1000冊は、慣れるとわかるのですが、負荷にもならず、ちょうどいいと感じるようになります。私も20年近く、年間1000冊ペースで本を読んでいます。「年間1000冊を目標にしている」のではなく、たまたま結果として、年間1000冊ペースで落ち着いている、という感じです。

1冊1分になると、本が好きという感覚はなくなります。**1日3食が習慣なのと同じで、1日3冊が習慣になるだけです。**

読む量が増えると自己肯定感が高まる

「年間1000冊読むと、気持ちのうえでどう変化するんですか？」

と聞かれたことがあるのですが、**年間1000冊になると「誰にも負けないな」という気持ちになり、自己肯定感が上がります。**

インプットに関して、ほかの経営者にも、ほかの作家にも、絶対に負けていないという自負ができています。年間1000冊を20年近く当たり前にしていれば、これ以上のスピードでのインプットをしている人はおそらくいないので、負ける気がしません。

年間1000冊は「軽いジョギング」

やってみるとわかるのですが、**年間1000冊は「適度な運動」です。**毎日フルマラソンを走っているわけではなく、「軽いジョギング」程度です。逆に、そのくらいの負荷でなければ、20年も続きません。

本の場合は、1日3冊、年間1000冊ペースがちょうどいいです。多すぎず少なすぎず、無理のないペースが年間1000冊です。

読む冊数も天才と同じにすることで、天才と同じ読書法をすることができるのです。

年間1000冊読むのは、軽いジョギングのようなもの

年間：1000冊

＝

月間: 90冊弱

＝

毎日：3冊

1日3食のように、
1日3冊を習慣化する

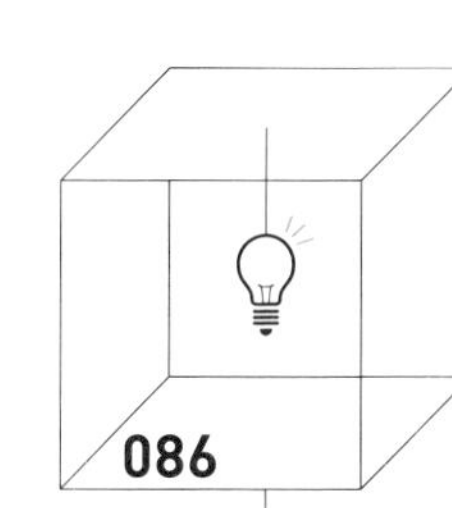

1日に、できるだけたくさんの本を読むのがいいと思っている

1日9冊が限界だと知っている

「1冊1分で本が読めたら、100冊、200冊の本を1日で読めるのではないか」と勘違いする人がいます。

すみません。無理です。**1日9冊が限界だと思ってください。**

というのも、私が伝授している1冊1分の手法は、いわゆる速読術ではなく、**「体感時間のコントロール」**だからです。1冊1時間で本を読むところを「1分間を1時間に感じる」ことにより、1冊1分で本が読めているというだけです。

「石井さんの最高記録は1日何冊ですか?」と聞かれたことがあるのですが、「1日38冊」というのが最高記録です。とはいえ頭がボーッとして、その日は仕事になりませんでした。38時間ぶんを38分に詰め込むわけですから、かなり体力的にきついです。**結局、心地よく最大冊数にするためには「1日9冊」というのがわかりました。**

10冊目以降はボーッとしてしまう

1冊1分を伝授しているインストラクターにも、1日何冊までいけるか実験をお願いしたのですが、「27冊」が最高記録でした。「9冊までは頭に入ってくるのですが、10冊目以降は疲れて頭に入ってこないです」とのことでした。私自身、1日9冊までにしていますし、私が伝授した方にも「1日9冊が限界だと思ってください」と伝えています。逆に、1日10冊以上読めても、ボーッとしてほかの**仕事に支障が出たり、車の運転中にボーッとしたら困ります。**

1日3冊がもっとも習慣化しやすい

1日3冊だと、習慣化しやすいです。中古本を1冊100円で買っても、300円しかかかりません。1日9冊がノルマだと、1日900円かかってしまいます。もし、新刊で1500円の本を買ったら、1日1万円以上が書籍代になることになり、さすがに金銭的にもつらくなる人が多いでしょう。

1日3冊で、もっと読みたいと思っても9冊にとどめておく。このペースがもっとも習慣化しやすいので、オススメなのです。

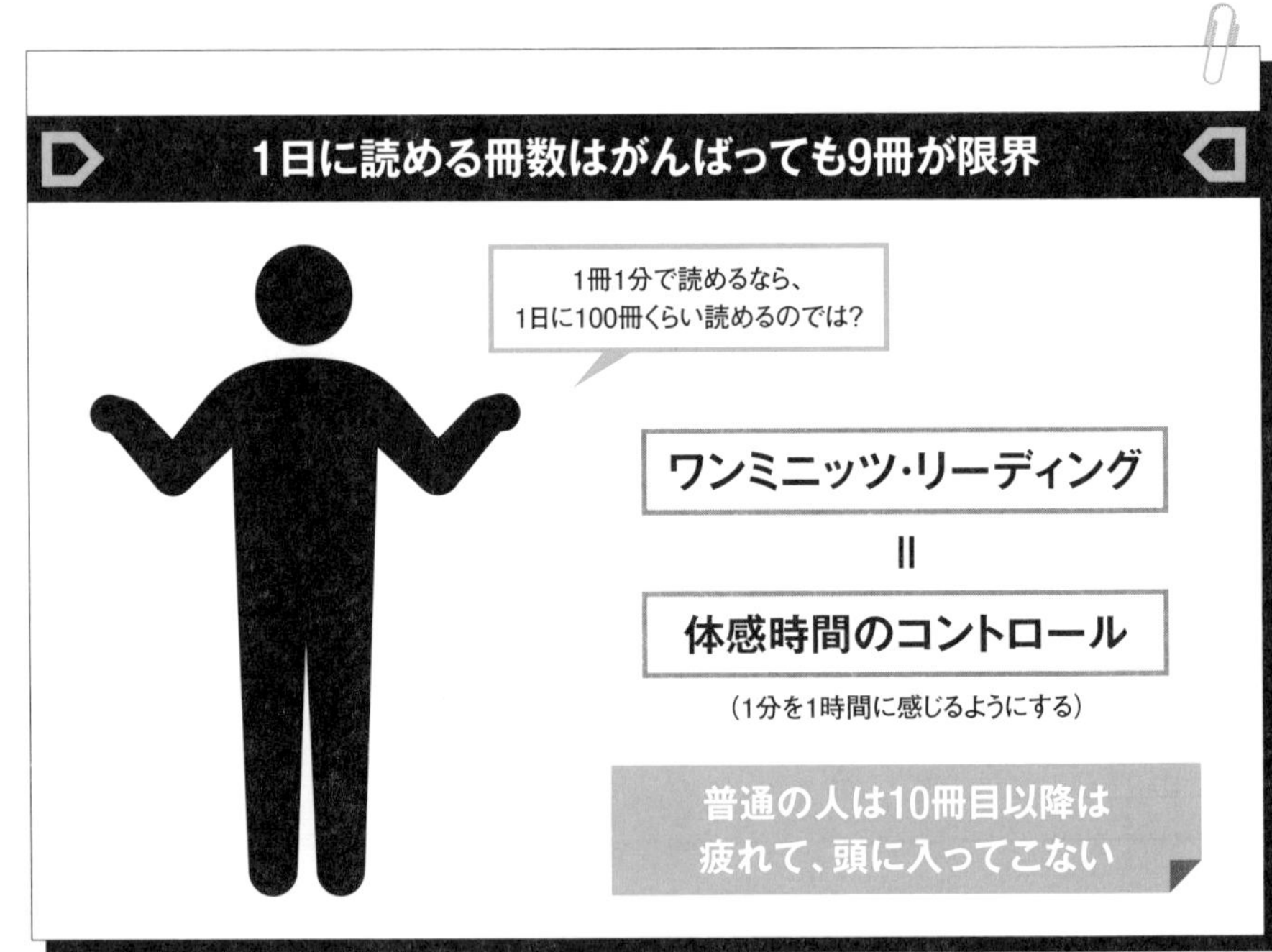

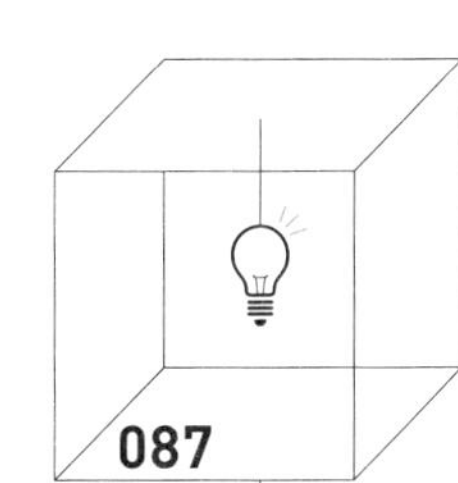

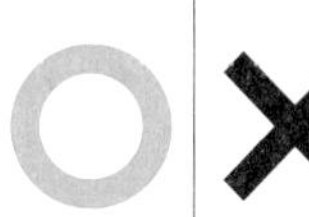

本は高いので、慎重に買おう

これで天才に!

本は安いので、どんどん買おう

「本は高い」と言う人がいます。

たいていの著者は、1冊の本をつくるのに1ヵ月〜3ヵ月以上かけています。2年かけて1冊を書く著者もいるくらいです。

彼らの時間を1500円で買えるわけですから、安いです。

本を読めば、著者の追体験ができます。「投資で50万円から始めて、1億円稼いだ」「10億円がなくなってしまった」などの追体験もできます。

100円の本は躊躇なく買う

とはいえ、懐（ふところ）事情もあります。1500円の本を1日9冊買ったら1万5000円近くになります。

毎月45万円の出費をしてまで本を買うのは現実的ではありません。

いまの時代は中古本があります。**中古本で、とくに100円の本は躊躇なく買いましょう。**

新刊はもちろん買いつつ、中古本も買い込んでいきましょう。

「年間1000冊読むのであれば、1週間で1000冊買います！」

と言って、本当にやってのけた受講者の方がいて、1年で1000冊を読んでしまったそうです。

その都度「本を買おうかなあ」と漠然と考えるよりも、まず家に1000冊ある状態をつくるのがオススメです。

そのほうが、毎日、読む本に困りません。

読む本がないのが最大のリスク

1日3冊読んでいると、「今日、読む本がなくなってしまった」というのが、一番のリスクになります。

夜10時に家に帰って、「読む本がない！でも本屋さんは閉まっている」という体験を、必ずするようになります。

そのときに、すでに買ってある本が大量に家にないと困るのです。

困る前に、大量に本を買っておく。これが、天才が見ている世界なのです。

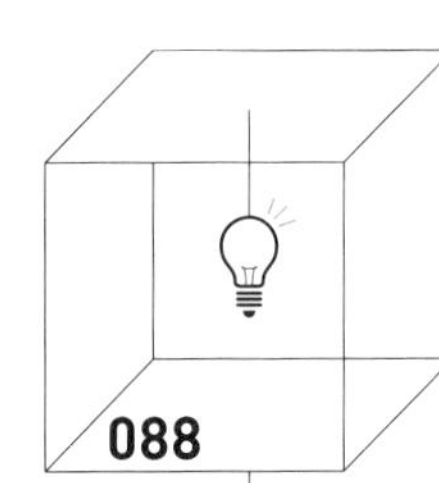

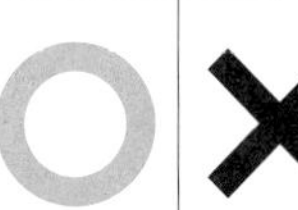

1冊読み終わったら、古本屋に売ろうと考える

2000冊を超えてから、古本屋に売ろうと考える

「本を読み終わった。古本屋で売ろう」と言う人がいます。最初のうちは、この習慣はよくありません。2000冊までは、家の本棚や段ボールに入れておくのです。

2000冊を超えたら、入れ替え戦をおこないます。そうすると、常に最高の2000冊に囲まれます。3000冊くらいになると、「この500冊は必要ないな」と、まとめて売れます。

10年以上ずっと本棚に残っている本もありますし、すぐに入れ替え候補になる本もあります。こうなると、「今日、読む本がない」ということはなくなります。つねに2000冊のなかから選べるからです。

3年目以降の本の読み方

「年間1000冊本を読む」とは、最初の2年間は、年間1000冊買う必要があるということです。3年目以降は「800冊を新たに買って、200冊をすでに買った本を読む」という形にします。5年、10年と2000冊をブラッシュアップすると、あなたにとって素晴らしい本ばかりが残ります。

「古本屋に売るのは、2000冊を超えてから」をルールにすると、年間1000冊と同じ景色が見えるのです。

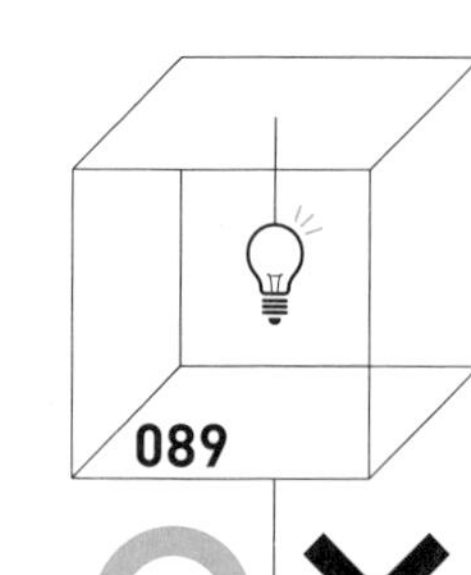

✕ 毎日、同じ本を少しずつ読む

○ 6ヵ月に一度、同じ本を読む

本にしおりを挟んで読んでいる人がいます。

読書スピードが遅い証拠です。

1冊1分になれば、しおりを挟んでいる暇などなく、最後まで読み終えてしまうからです。

少しずつ本を読み進めていると、本の終わりで、最初に何が書いてあったのかを忘れてしまうはずです。

本は、少なくともその日のうちに一気に最後まで読んでしまいましょう。

同じ本は6ヵ月時間をあける

なお、「同じ本を、毎日繰り返し読むほうがいいのですか?」という質問をされたことがあるのですが、**同じ本は「6ヵ月後にもう一度」が原則です。**

素晴らしい本だと毎日読み返したくなる気持ちはわかりますが、6ヵ月後にもう一度読むと、さらに新鮮な気づきが得られます。

6ヵ月間寝かせたほうが、その本のよさが再認識できるのです。

10回同じ本を読むということは、「5年間、半年ごとに読み続けた」ということになります。

毎回、まったく違う気づきが得られるので、素晴らしい本は半年ごとに読むのがいいでしょう。

著者オススメの2冊

ではここで、私が半年ごとに読み返す本を2冊ご紹介します。

1冊目は、『はじめの一歩を踏み出そう』（マイケル・E・ガーバー著／世界文化社）です。いかに仕組みをつくることが経営には大切か、ということが書かれていて、読み返すたびに違う気づきが得られます。

もう1冊は、『ゴール』（ブライアン・トレーシー著／PHP研究所）です。

いまやっていることは正しいのだろうか？という気づきを半年ごとにいただけています。

同じ本を半年ごとに読み返すことで、あなたの人生は豊かになるのです。

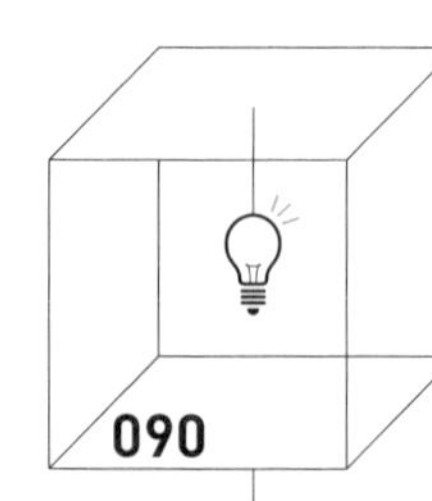

しっかり、きっちり、一言一句文字を読む

いい加減で、テキトーな気持ちで、ページをめくっていく

理解しようとする行為は左脳的です。

左脳を使うものは時間がかかり、右脳を使うものは一瞬で終わります。

ならば、**右脳を使って本を読んだほうが、読むスピードは速くなります。**数学の問題を解くのは左脳的な行為なので時間がかかりますが、恋に落ちるのは一瞬です。恋愛は、右脳的な行為だからです。

読書に右脳を使うとは、左脳を使うのをやめるということです。「理解しよう」「覚えたい」は左脳的な行為です。

理解しようという気持ちがなくなり、覚えたいという気持ちがなくなれば、右脳的に読めているということになります。

テキトーな気持ちでページをめくる

「しっかり、きっちり、一言一句文字を読まなければ」というのは、左脳的な読み方です。「いい加減で、テキトーな気持ちで、ページをめくっていく」というのが右脳的な読み方です。

どちらが読むのが速いかといったら、間違いなく右脳的な人のほうなのです。**本の内容を理解しようという気持ちをビタ一文持たなくすることで、本を読むスピードは圧倒的に上がるのです。**

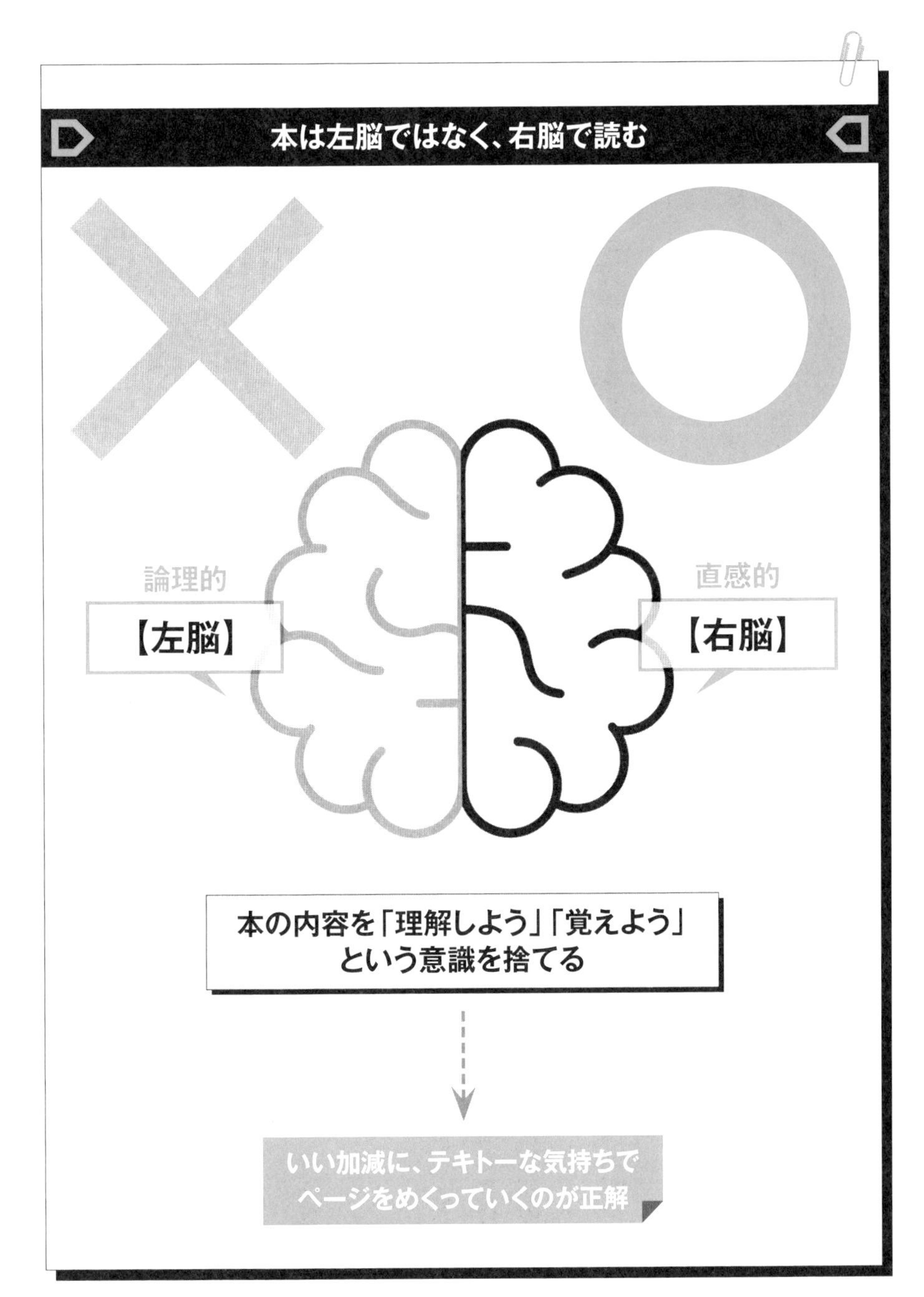
本は左脳ではなく、右脳で読む
論理的
【左脳】
直感的
【右脳】
本の内容を「理解しよう」「覚えよう」
という意識を捨てる
いい加減に、テキトーな気持ちで
ページをめくっていくのが正解

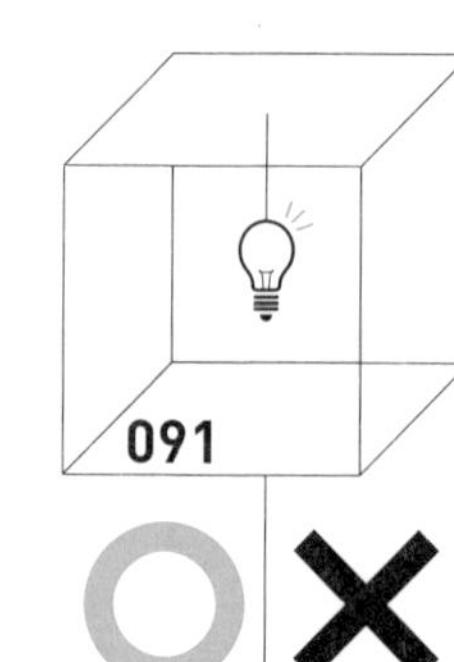

×やってはいけない!

最後まで立ち読みしてから、本を買う

○これで天才に!

本の表紙だけを見て、レジに持っていく

「本を選ぶのに失敗したくないから、立ち読みで最後まで読んで、いい本だったら、それから買いたい」と言う人がいます。

ダメです。やってはいけません。

本選びは、直感を鍛えるチャンスです。内容を見なくてもいい本かどうかわかるか、というESPテスト（エスパーのテスト）だと思って、本を買いましょう。

本選びも1冊1分で

もちろん「いきなり書店に行って、新刊で同じことをしろ」とは言いません。まず古本屋で100円の中古本からスタートします。

本の表紙を見て、手に取るだけで、いい本かどうかを判定できるようになる必要があります。

この段階で、「この本は違う」と思ったら、その本は戻します。**1冊1分で本を読むわけですから、本選びに1分以上迷うのは時間の無駄です。**

繰り返していると、どんどん精度は上がっていきます。

1冊100円の本でトレーニングをして、ある程度わかるようになったら、半額の本。半額の本でできるようになったら、新刊も「ジャケ買い」ができるようになるのです。

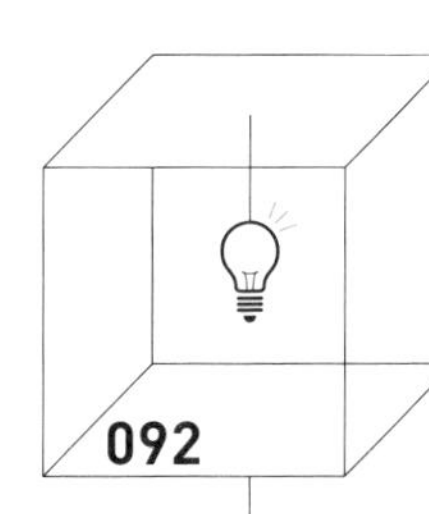

やってはいけない!

いま、必要な本を買う

これで天才に!

将来、ピンチのときに救ってくれる本を買う

「いまの私に必要な本はどれだろう」と思って書店の本棚を眺めていたら、大量に本を買うことはできません。

そうではなく、**「いまの自分には必要ないが、将来の私のピンチを救ってくれる本はどれか?」**と直感的に選ぶのです。

いまのあなたに必要な本だと、毎月90冊、年間1000冊本を買えば、すぐに選び切ってしまいます。年間1000冊本を読むとき、**最初の壁になるのは「読みたい本が1000冊もない」です。**

「本が速く読めないから、本を毎月90冊買うことをしていない」のではありません。

逆です。「本を毎月90冊買っていないから、本が速く読めない」のです。「読むべき本が目の前になくて困る」というのが、本が速く読めている人の見えている世界です。

本を読まない人の家には本が少ない

最初に、1000冊の本を買い込みましょう。そうすれば、「やばい。速く本を読めるようにならなければ、1000冊はこなせない」とお尻に火がついて、やっと本を速く読まなければいけない状況に自分が追い込まれるのです。

本を読むのが遅い人は、そもそも家に本が

1000冊以下しかない人です。

いまのあなたに必要な本を探していたら、探すだけで時間もかかりますし、年間の冊数も1000冊以下に絞られます。

いつかあなたがピンチになったときに救ってくれる本はどれだろうと思いながら本を選ぶと、躊躇せずに本を買えます。

まだやっていないことの勉強になる

たとえば、いまは自分一人で社員はいなかったとしても、いずれ人を雇うことになるのであれば、いまからマネジメントの本を買うべきです。会社を設立するより前から、「いずれ上場するかもしれない」と思うのであれば、会社の上場の仕方の本も買うのがオススメです。

私自身、起業当初に上場の仕方の本を買い、勉強になりました。上場とは「うちのビジネスモデルは、こういうものですよ」と世間に知らしめる必要があるということです。そのため、上場している会社のビジネスモデルを研究することができました。

「会社を上場させるには」というテーマの本を買ったことで、当時の自分にはない発想を得ることができました。「上場するのであれば、最初から他人の資本は入れないほうがいい」と知らずに起業していたら、乗っ取りにあっていたかもしれませんでした。

ピンチを助ける本を買う

いまのあなたに必要な本を買っても視野は広がりません。

「いつかピンチが訪れる。ならば、そのときに必要そうな本をいまのうちに買っておこう」と思うことで、どんどん本が買えるようになるのです。

将来のピンチを救ってくれる本を読む

×

いま、必要な
本はどれだろう?

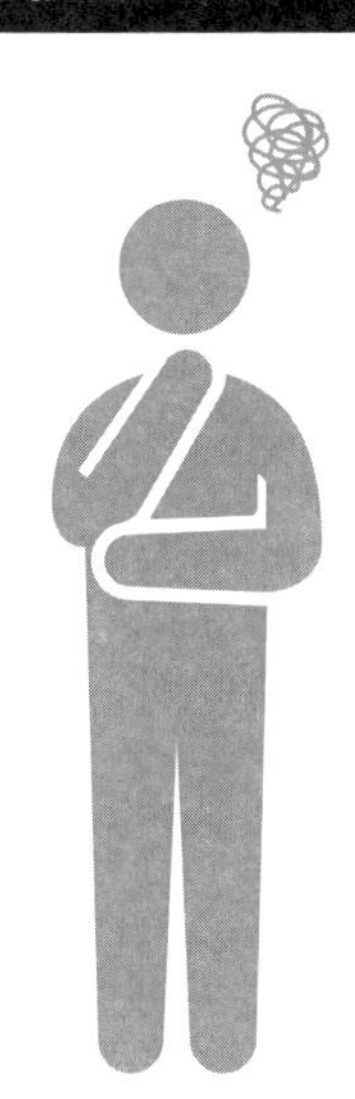

そんな基準で探していては
1000冊も読めない

○

将来のピンチを救ってくれそうな
本はどれだろう?

視野が広がり
いろいろな本に興味が持てる

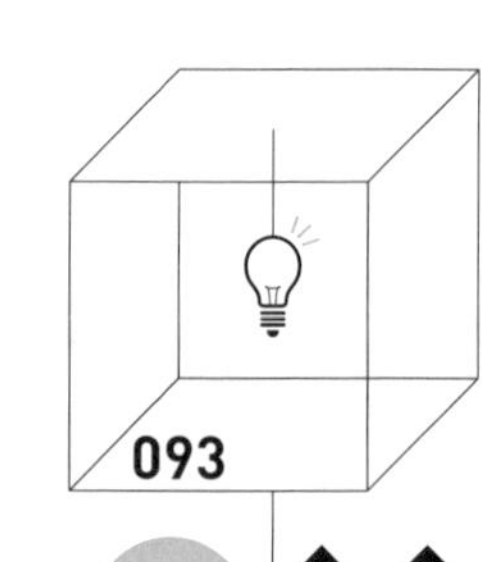

著者を気にせず、本を買う

好きな著者の本を、過去にさかのぼって買う

「視野を広げるためには、多くの人の考えを知ることが大切だ」と考えて、いろいろな著者の本を買っている人がいます。

ダメです。やってはいけません。

とくに本の表紙だけ見て買う場合、外れる確率が上がります。**「この著者は好きだ！」と思ったら、その著者の本は全部買いましょう。これを「全滅癖」と言います。**

私の場合は、アナウンサー時代に、中谷彰宏先生の本が大好きになりました。なので、500冊以上を買いました。すると中谷彰宏先生と風水のDr．コパ先生との対談本があり、そこからDr．コパ先生の本も200冊買いました。中谷彰宏先生が、「竹村健一先生が師匠です」と書かれていたのを見て、竹村健一先生の本も200冊以上買いました。

作家ごとに読めばスピードも上がる

好きな作家なら文体に慣れ親しんでくるため、本を読むスピードも速くなります。それでいて、好きな作家の本なので、ハズレはほとんどありません。

好きな作家を見つけて「全滅癖」を持って、その著者の本をすべて買えば、考えずに本を買うことができるようになります。**本選びが0秒でできるようになるのです。**

好きな著者を見つけたら、その人の本を全部買う
この著者の本は
素晴らしい!
この先生の本を
全部買おう!
「全滅癖」をつけよう!

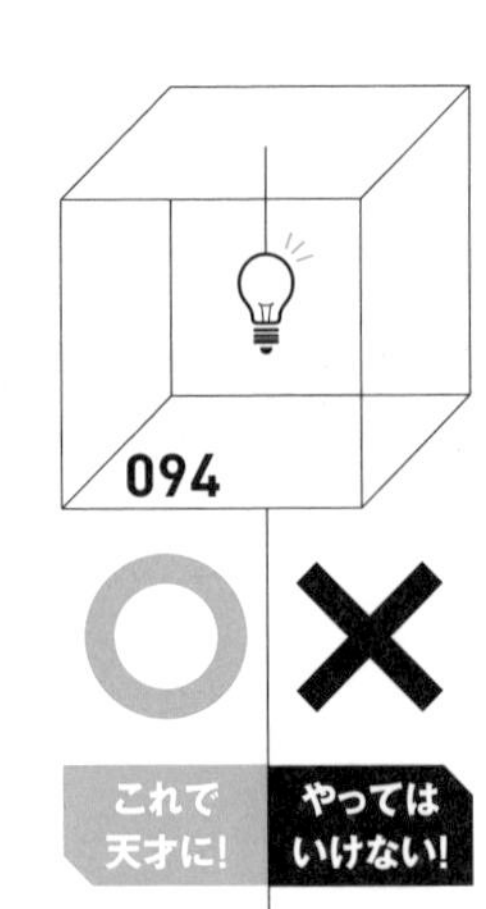

新人作家を発掘しようとする

好きになれる有名作家を探す

「こんな新人がデビューしたんだ。どれどれ、読んでみよう」とする人がいます。

アイドルの世界であれ、芸人の世界であれ、新人が生き残るのは至難の業です。本の世界も同じです。1冊目は出せても、2冊目を出せるのは50％、3冊目を出せるのはそこからさらに50％というふうに、どんどん減っていって、10冊以上書いている作家となると10分の1以下に減っていきます。

逆に言えば、**10冊以上本を出せているということは、ファンがいたり、いい文章を書いている著者である可能性が高いということです。**

有名作家は良書が多い

本を買って、「外した！」という人は、「初めてその人の本を買った」ケースがほとんどです。新人作家の本を買って外す確率は、残念ながら高いと覚えておいてください。

逆に、**有名作家の本は、外す確率が低いです。**50冊以上本を出している作家がいたら、たとえあなたが嫌いでも、ファンがどこかにいるから本が世に出ているのです。

作家との出会いは、一生の出会いです。あなたの人生を変えてくれる作家と出会うことで、あなたの人生も変わるのです。

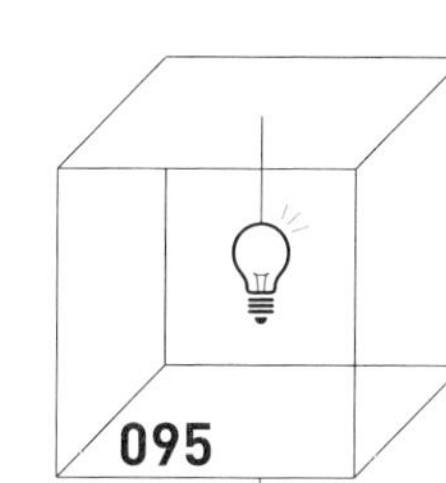

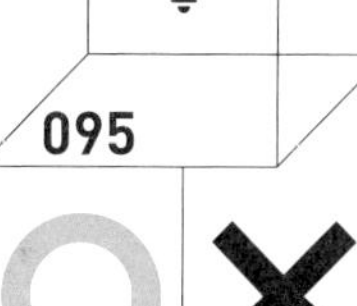

✕ 有名作家の最近の本を読む

○ 有名作家のデビュー作から年代順に読む

有名作家のデビュー作を探しましょう。

東野圭吾先生が好きな方は、「東野圭吾先生のデビュー作」を、村上春樹先生が好きな方は、「村上春樹先生のデビュー作」を探すのです。そして2作目、3作目と作家の成長を追体験しましょう。**文体や作風がどう変わっていっているのかを知ることができます。**

ちなみに、東野圭吾先生のデビュー作は1985年に出版された『放課後』(講談社)で、村上春樹先生のデビュー作は1979年に出版された『風の歌を聴け』(講談社)です。中谷彰宏先生のデビュー作は、1989年に出版された『農耕派サラリーマンVS.狩猟派サラリーマン』(徳間書店)です。

デビュー作がもっともエネルギーがある

「作家はデビュー作を超えられない」と言われるくらい、1冊目にはエネルギーが込められています。

僭越(せんえつ)ながら、私のデビュー作は『オキテ破りの就職活動』(現在は、『就職内定勉強法』に改題。実業之日本社)です。

いまのほうが、あきらかに文章はこなれていますが、エネルギーが詰まっているという観点では、やはりデビュー作が一番です。**「人生のすべてをこの1冊に込める」**というのがデビュー作だからです。

096

○ これで天才に!

横書きの本は一切買わない

× やってはいけない!

横書きの本を買う

横書きの本は、買ってはいけません。

横書きは縦書きに比べて、圧倒的に読むスピードが落ちるからです。

縦書きであれば1冊1分のスピードで読めますが、横書きでは、見開き2ページで8秒～16秒かかってしまいます。

もともと本を読むのが遅い人には、縦書きでも横書きでも同じですが、**本を読むのが速くなればなるほど、横書きの本に手を出さなくなります。**

横書きは左脳的、縦書きは右脳的だ

なぜ横書きが遅いのかというと、「横書き＝西洋文化＝論理的に読むためのもの」「縦書き＝東洋文化＝直感的に読むためのもの」だからです。

じっくり理解をするには横書きが向いているのですが、直感的に感じとるには縦書きの文章のほうが向いているのです。

縦書きで1冊1分になったら、横書きのスピードも上がるのかというと、「それとこれとは話が別」というのが、正直なところです。

速くはなるのですが、縦書きより遅いので、**横書きの本を1冊読む暇があったら、縦書きの本を10冊以上読んだほうがいい**という感覚になるのです。

速く読むためには、縦書きの本を読む!
横書きの本
時間がかかる……
縦書きの本
1冊1分で読める!

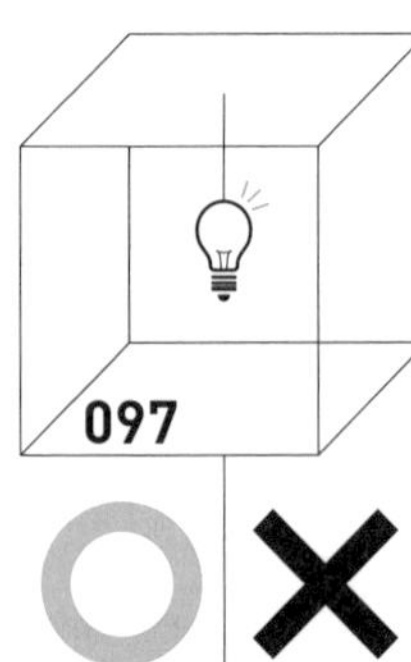

○ これで天才に！

× やってはいけない！

内容が濃い本がいい本だ

気づきが得られる本がいい本だ

「内容が濃い本がいい本だ」と思い込んでいる人がいます。

違います。

そもそも本に、濃い薄いという基準はないのです。「この著者は、わざと文字数を稼いで、ダラダラと書いている」という人がいますが、もしそういう本があるなら、著者ではなく編集者の責任です。

あなたが「ダラダラ書いているなあ」と思っている箇所に真実が書いてあり、「いいことが書いてある」と思った箇所が、「ダラダラ書いてしまってごめん」と著者が思っているところかもしれません。

気づきが得られるか否かが大事

A「足を上げて、後ろから前へ、体重移動をしてバットを振りましょう」

B「ブワーッとバットを振るんだ！」

と書いてある本があったとします。

論理的な人は「Aの本が論理的だ。Bはダメな本だ」と思うかもしれませんが、**気づきが得られるのはBです。**「そうか。ブワーッとなんだな」と気づく人もいるからです。

内容が濃い本・薄い本があるのではなく、気づきが得られる本・得られない本があると考えるのが正しいのです。

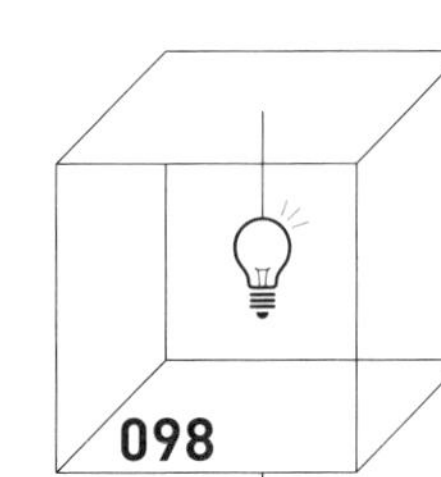

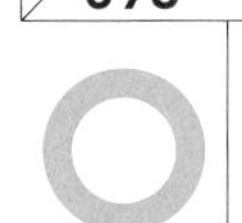

「文字がびっしり書いてある本」がいい本だ

「文字がスカスカの本」がいい本だ

「この本は文字がびっしり書いてあるからお得だ。同じお金を払うなら、文字数が多いほうがいい」と考える人がいます。

ダメです。**文字がびっしり書いてあったら、読みづらいです。**

読みづらいということは、読者にストレスを与えている本だということになります。**文字がスカスカのほうが読みやすいので、読者にとっては有益な本です。**

誰しも忙しいのですから、本を読むのが遅い人でも、1冊2時間以内に読めるような本が、いい本です。

「この本を読んだことで、失敗をすることがなくなった。時間とお金を損しないで済んだぞ」という本が、有益(ゆうえき)な本です。

短時間で素早く読めるのがいい本

サラッと読める本は、文体がよかったり、いいことが書いてあるから、サラッと読める本だということです。

びっしり文字が埋め尽くされている本は、読むのに時間がかかるので、テンポが悪く、読者に負担を強(し)いている本だと言えます。

文字がスカスカで読みやすい本が、短い時間で成果を出したいあなたが手に取るべき本なのです。

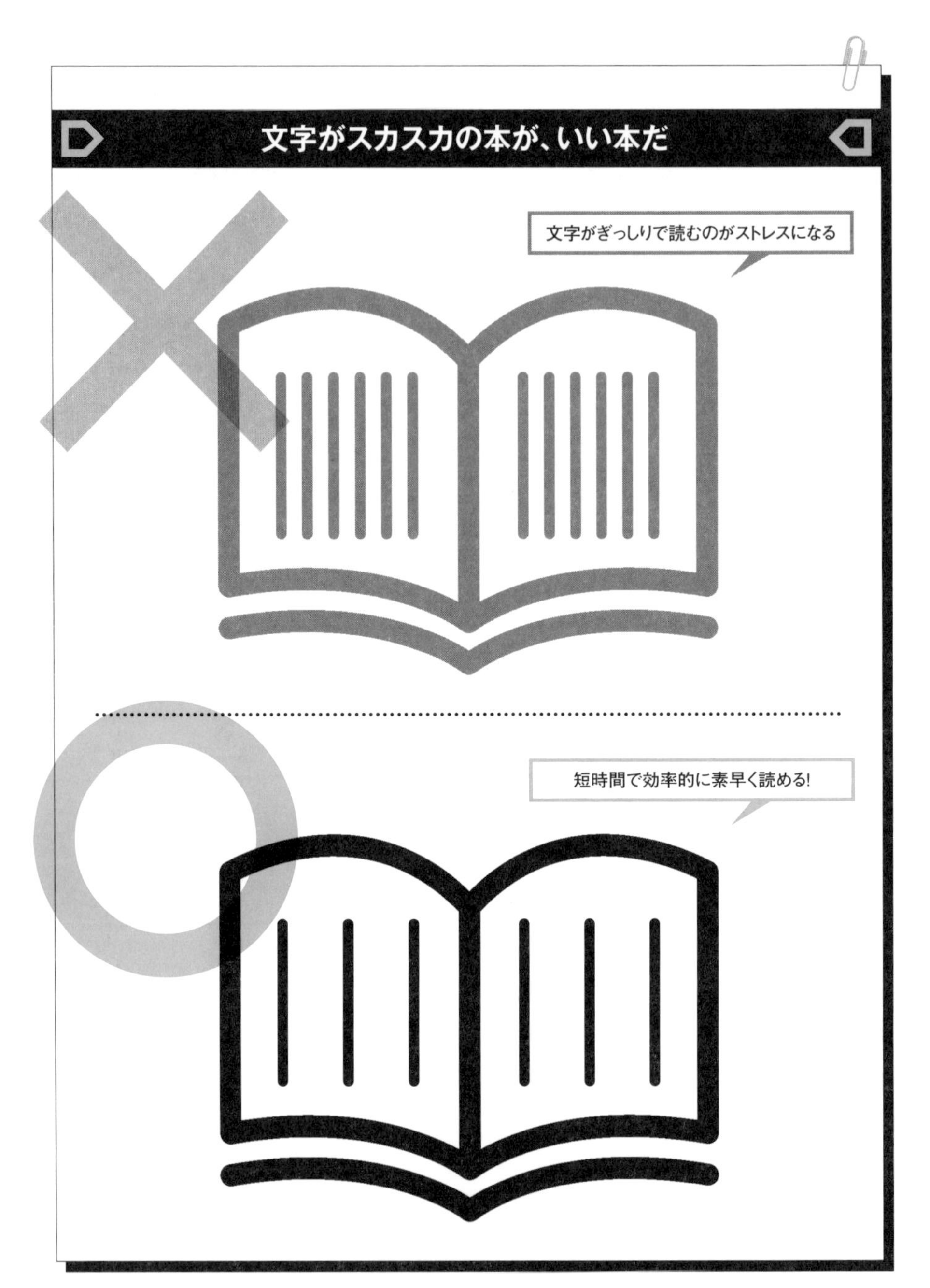
文字がスカスカの本が、いい本だ
文字がぎっしりで読むのがストレスになる
短時間で効率的に素早く読める!

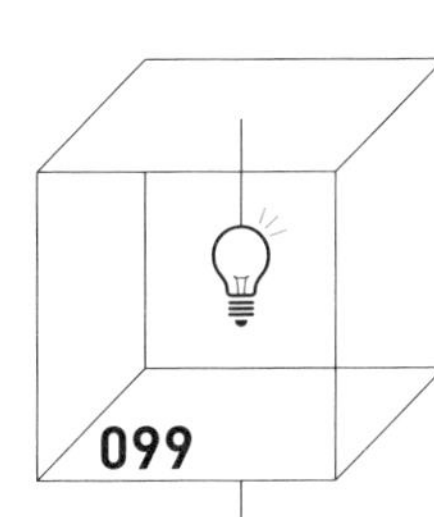

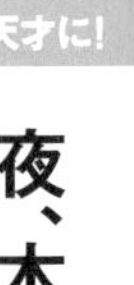

やってはいけない!
朝、本を読む

これで天才に!
夜、本を読む

「毎日、朝早く起きて本を読もう」としている人がいます。

ダメです。意味がありません。なぜなら、**朝の出来事は、夜にはキレイさっぱり忘れてしまうからです。**

朝、テレビの天気予報で見た降水確率を、夜、覚えていますか？　そう、誰も覚えていないのです。朝は、その日に何をするべきかということで頭がいっぱいだからです。

学校や仕事が終わって、やっと新しいことに取り掛かれるのです。朝の読書を習慣にしても、その日の夜には、いや、その日の昼にはもう読んだ本のタイトルさえ忘れます。

ならば朝に読書をしても、ほとんど意味はないということなのです。

睡眠によって、記憶が定着する

寝ている間に、記憶は短期記憶から長期記憶へと定着します。寝る前に本を読めば、寝ている間に、脳に内容が刷り込まれていくことになります。

3冊読んでから寝て、朝起きれば、「あ。こんな内容の本だったなあ」と、ある程度は覚えているものです。**夜、寝る前に本を読む習慣をつけることで、脳内で記憶の整理がおこなわれるようになるのです。**

100

やってはいけない!

✕ 寝ながら本を読む

これで天才に!

○ 座って本を読む

「寝ながら、ダラダラ本を読むのが好きだ」という人がいます。

ダメです。やってはいけません。

座って本を読んだほうが、ページをめくる速度が上がるからです。

寝ながら、ページを猛スピードでめくるというのは至難（しなん）の業（わざ）です。寝ながらダラダラしたいのであれば、ＹｏｕＴｕｂｅなどで動画を見るほうが効率的です。読書は、寝ながらだと、ページをめくるスピードがどうしても遅くなってしまうのです。

本は、ダラダラ読むものではありません。

見開き０・５秒のスピードで、どんどんめくっていくものです。

勉強の一種というより、スポーツの一種です。寝ながら野球やバスケットボールをすることは大変です。

両足を地面につけて本を読む

また、**足を組んで本を読むのもダメです。**

足を組むと、読書効率が落ちます。

両足を地面につける技法のことを、**「グラウンディング」**と言います。グラウンディングをすることで、地球全体から情報をもらうことができると言われています。両足を地面につけたほうがはかどります。

寝ながらではページを早くめくれない

ページをめくる
スピードが落ちるのでNG

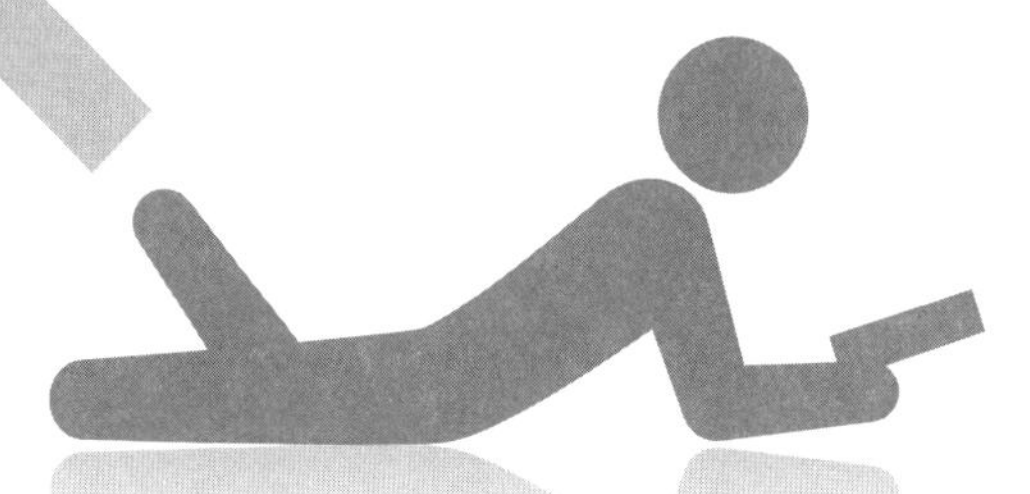

両足を地面につけて椅子に座ったほうが
素早くページをめくれる

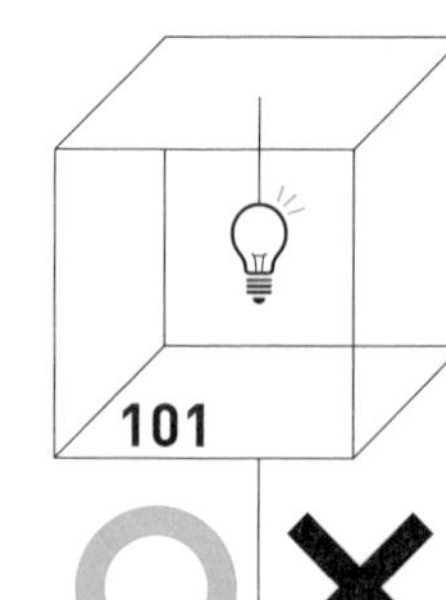

しおりを挟む

大切なページの角を折る

「今日はここまで読んだ。しおりを挟んでおこう」という人がいます。

ダメです。やってはいけません。

しおりを使うということは、本を最後まで読み切らないということです。**1冊1分で本が読むのが当たり前になれば、「途中まで読む」という行為そのものがなくなります。**

「30秒で一時中断して、それから読む」ということは、ほとんどありません。電話が鳴っても30秒で本を読みきってから出ます。

しおりという存在があることを、忘れてください。大切なところがあったら、そのページの角（かど）を折ります。どのくらい折るのかというと、1冊の本につき、10箇所以内が理想です。次に読み返すときに、その箇所だけを読み返せば、その本は10秒以内で読めることになります。

ノートにまとめるときも、10箇所についてだけ、まとめればいいことになります。

年間1000冊読む人は1000人以上

「角を折ったら、古本屋で売るときに困る」という方がいますが、それは仕方がないと割り切ってください。いま古本屋で出回っている本で、ページの角が折れている本はとても多いです。

というのも、1冊1分で年間1000冊読んでいる方が1000人以上いるからです。古本屋の方、古本で買われる方、大変申し訳ございません。1冊1分で本が読める人を大量に輩出（はいしゅつ）している、私の責任です。

「仲間を見つけた」と考える

逆に考えれば、古本屋で角が折られている本を見つけるたびに、「あ。この方も年間1000冊読んでいるんだな。私もがんばろう」と思えるはずです。

年間1000冊読んでいる方が1000人以上いるので、**年間100万冊のページの角が折られている**計算です。

「ひどい。この本のページの角も折れている」と文句を言う側ではなく、**「おお。年間1000冊のお仲間がここにもいる！」**と思って、自分を奮（ふる）い立たせましょう。

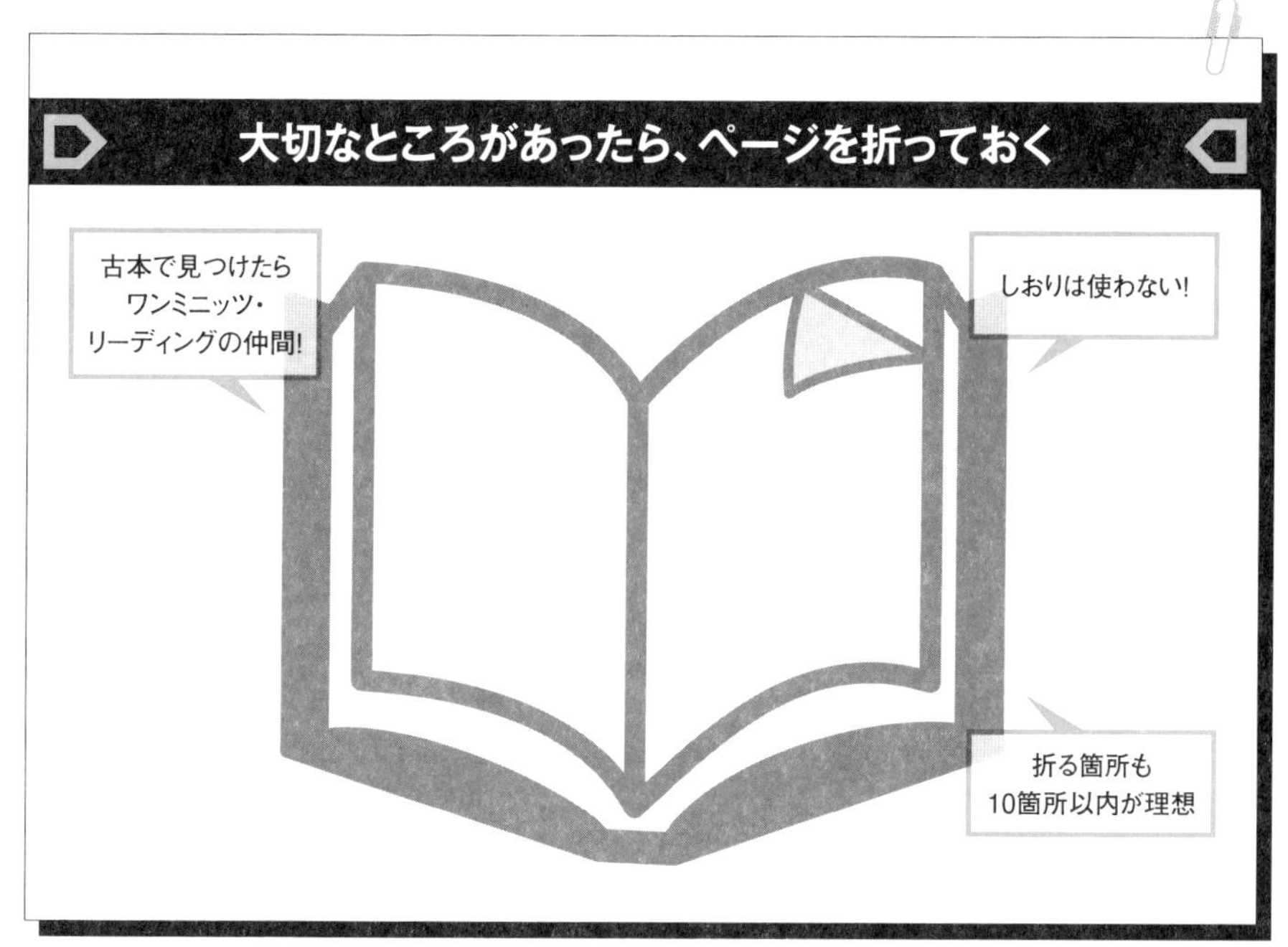

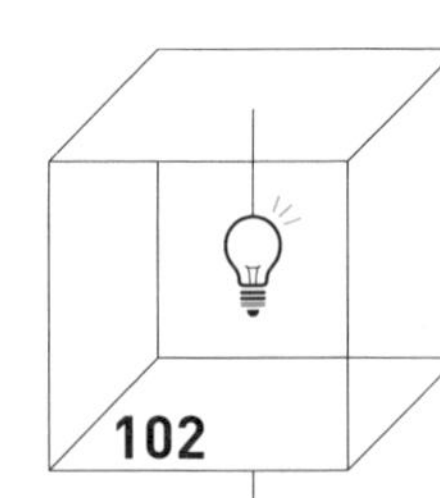

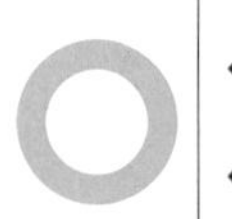

1つの書店に通う

目に入った書店があれば、とりあえず入ってみる

「近所に書店があるから、いつも同じところに行っています」と言う人がいます。

ダメです。同じ本しか置いていないからです。**手当たり次第、目についた書店に入りましょう。**「え、こんな本があったの？　知らなかった」という本に出会えます。

年間1000冊本を読むわけですから、書店があるたびに入らないと、1000冊の本を買うことはできません。

同じ系列の書店でも、店舗が違えば、違う本が並んでいます。

新刊は2週間で返品されることも多く、いい本を見逃してしまうこともあります。古本屋にも行くことで、見逃してしまった新刊も手に入れることができます。

旅先でも本屋に入る

オススメは、旅先で古本屋に入ることです。

東京ではなかった本が、四国に置いてあったりします。「ずっと読みたかったけど時間がなくて読めなかった。旅のときにじっくり読もう」というお宝本が、読み終わって売られていることもあるからです。

目に入った書店にはすべて入る習慣があれば、年間1000冊の本を買えるようになるのです。

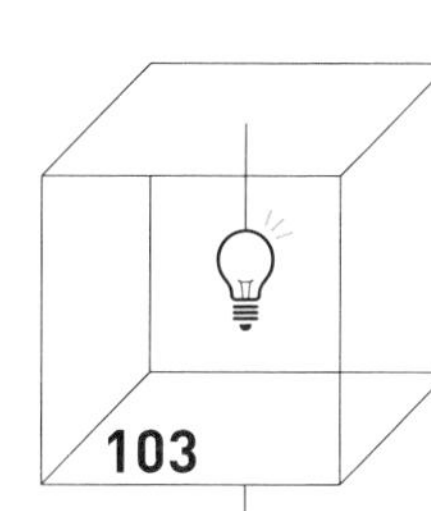

読んだ本のレビューを書く

読んだら、次の本を読む

本を読んで、ネット上にレビューを書く人がいます。悪口もよくありませんが、**そもそもレビューを書く行為が時間の無駄です。**

そんな暇があったら、次の1冊を読んだほうが、ずっと有益です。

「作家にとって一番の宣伝は、次の本を書くことだ」と言われます。

新聞広告を自腹で打つべきか、と悩んでいる作家の方もいますが、本を出したら次の本を出すのが、もっとも効果的な広告宣伝になります。

すでに書いた本の横に次の本が置かれるからです。やがてその作家のコーナーができあがります。

50冊、100冊と出すことで、横一列の「東野圭吾コーナー」「村上春樹コーナー」のような「棚」ができるのです。

次々本を読む人が成長する

読書も同じです。**1冊の本を読んだら、すぐに次の本、その本を読み終わったら、また次の本を読むことで、一番成長します。**

起業家のインタビューで、有名な話があります。

「ビジネスが成功したら、どうしますか?」とIT企業の社長に聞いたところ、「南の

島でのんびりしたいです」と答えた社長が多かったそうです。そんななか、

「ビジネスが成功したらどうするかだって？　そんなの、次のビジネスをやるに決まってるだろ！」

と答えた社長が2人いました。

その2人が、堀江貴文さんと、サイバーエージェントの藤田晋（すすむ）さんだった、という話です。

読み終わったら、即、次の本

作家は本を書き終わったら、次の本を書くだけです。

社長は1つのビジネスを成功させたら、次のビジネスをするだけです。

読者も、1冊本を読み終えたら、次の本を読むだけ、というのが正解なのです。

1冊読んだらすぐ次の本！

ネットにレビューを
書いている暇はない！

1冊読み終わったらすぐに次の本を読むのがもっとも成長する

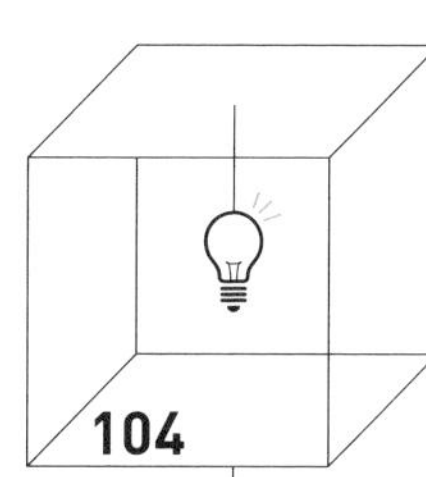

やってはいけない!

本は、右手で持っても左手で持っても関係ないと思っている

これで天才に!

本は、右手で持って左手でめくるのがルールだと知っている

「本を持つ手なんて、右手だろうが左手だろうが、どちらでもいいに決まっている」と思っているかもしれません。

違います。

右手で持って、左手でめくる。これがルールです。左利きでも、右利きでも同じです。

左手は、右脳（潜在意識）とつながっています。左手でめくることで、本の内容を潜在意識に入れていくことが可能になります。

実際に多くの受講者の方で試したことがありますが、皆さん、左手でめくるほうが、すんなり本の内容が入ってくると言っています。

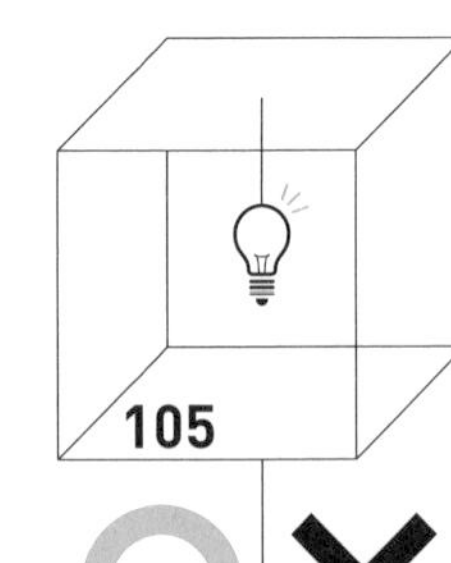

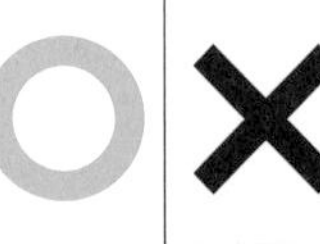

1冊1分は、いきなりなれるものだと思っている

1冊1分になるには、3段階のトレーニングが必要だと知っている

「1冊1分になる方法を、ひとことで言ってくれ！」

こう言う人があとを絶ちません。

私としては「ひとことでは言えません」と言いたいところなのですが、あえてひとことで言うとすれば、

「見開き0・5秒で本をめくれるようになり、それが当たり前になるまで6ヵ月以上継続する」

ということになります。

では、どうしたら見開き0・5秒が当たり前になるのでしょうか。そのためには、3段階のトレーニングが必要になります。

第1段階：テンミニッツ・リーディング（10分読み）
第2段階：ファイブミニッツ・リーディング（5分読み）
第3段階：ワンミニッツ・リーディング（1分読み）

これを、1冊の本に対しておこなうのがトレーニング法です。

テンミニッツ・リーディング

まず、第1段階からお話しします。テンミニッツ・リーディングです。

右ページを3秒で眺め、左ページを3秒で

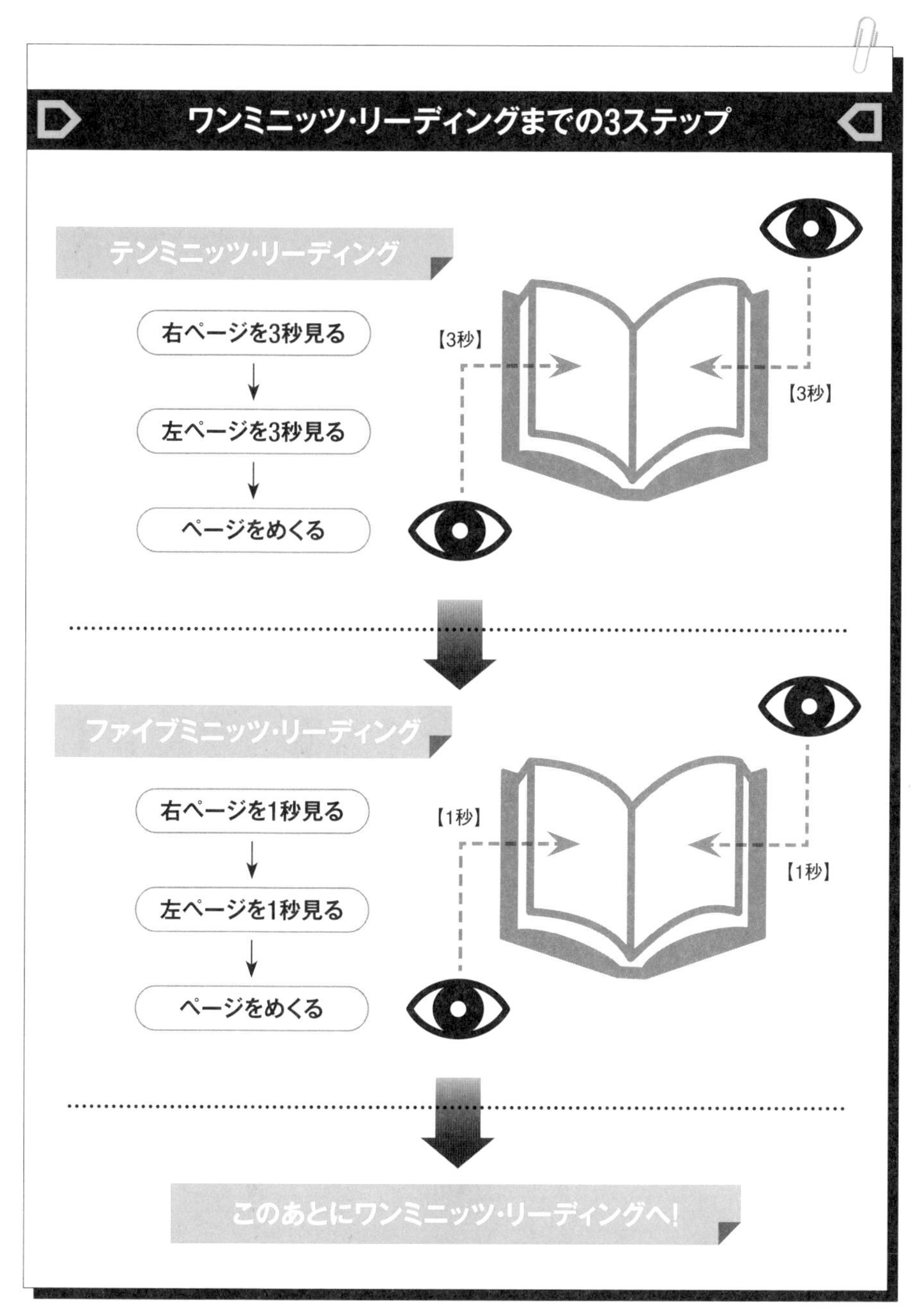
ワンミニッツ・リーディングまでの3ステップ
テンミニッツ・リーディング
右ページを3秒見る
左ページを3秒見る
ページをめくる
【3秒】
【3秒】
ファイブミニッツ・リーディング
右ページを1秒見る
左ページを1秒見る
ページをめくる
【1秒】
【1秒】
このあとにワンミニッツ・リーディングへ!

眺めて、めくります。

見開き2ページにつき6秒かかり、200ページの本で100回めくるので、600秒。つまり、10分で1冊の本を読み終わる計算です。

ファイブミニッツ・リーディング

第2段階に行きましょう。ファイブミニッツ・リーディングです。

右ページを1秒眺めて、左ページを1秒眺めて、1秒でめくります。

これで、見開き2ページを3秒でこなせるようになります。

200ページの本で、合計300秒、つまり5分で1冊を読んでいることになります。

ワンミニッツ・リーディング

最後に第3段階。ワンミニッツ・リーディングです。

見開き0・5秒でめくっていきます。200ページで、100回めくることになりますので、1冊50秒の計算になります。

注意点は、**見開き1秒ではなく、見開き0・5秒というところです。**

このスピードではないと、1分を切れないからです。

3段階トレーニングでつかむ

初日には無理でも、6ヵ月がんばれば、できるようになる方が多いので安心してください。

「テンミニッツ・リーディング」
「ファイブミニッツ・リーディング」
「ワンミニッツ・リーディング」

の3段階のトレーニングをすることで、1冊1分が可能になるのです。

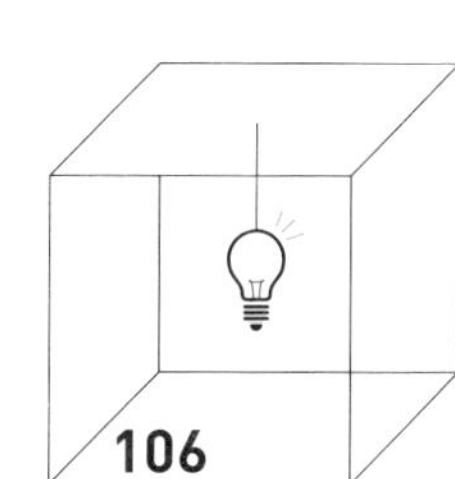

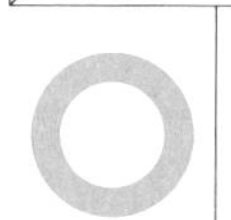

✕ 何か特別なノウハウがないと、1冊1分になれないと思っている

○ 「見開き0・5秒」こそ、究極のノウハウだと知っている

「1冊1分になるための特別なノウハウを教えてくれ!」と言う人がいるのですが、特別なノウハウがないと1冊1分になれないのではありません。

見開き0・5秒でめくれるようになる。それが究極のノウハウです。

単純すぎて拍子抜けするかもしれませんが、見開き0・5秒で毎日、本を3冊読み続け、それが当たり前になるまでやることが大切です。**「6ヵ月間、1冊1分以外では読んではいけない刑」**に処されている状態をつくるのです。

もちろん、最初の1ヵ月、2ヵ月は、何も起きないほうが多いです。イライラするのも難しいという人もいるでしょう。

内容に関しては、さっぱりわからない状態がずっと続きます。**それでも、見開き0・5秒でめくり続けるのです。**

気づいたらできている状態が理想

結果が出ないのを承知で、無我の境地でおこなうことで、**気がついたら1冊1分になっているというのが、ワンミニッツ・リーディングができているという状態です。**

結局のところ、見開き0・5秒こそが、究極のノウハウなのです。

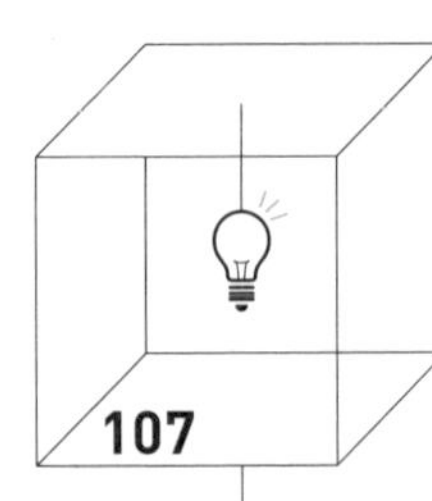

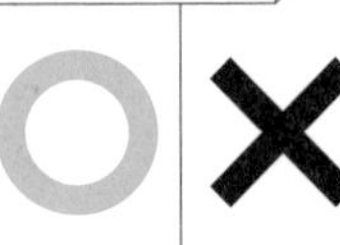

ワンミニッツ・リーディングができれば速読ができると思っている

速読とワンミニッツ・リーディングは水と油だと知っている

「ワンミニッツ・リーディングをマスターすれば、速読ができるようになるはずだ」と勘違いしている人が、いまでもいます。

ダメです。速読の一種だと、まだ思っている証拠です。速読とは求めている方向性がまったく違います。

速読とワンミニッツ・リーディングは、水と油のようなものです。水と油は一見、透明で同じもののように見えますが、中身はまったく違います。

速読は、「理解できていたら、できている人」「理解できていなかったら、できていない人」という判定基準です。

ワンミニッツ・リーディングの判定基準は、**「200ページの本で、1冊1分を切れるかどうか」**という判定基準です。「めくれていたら、できている人」「めくれていなかったら、できていない人」です。

本を読んでも理解はしない

ワンミニッツ・リーディングができると、ページが早くめくれるようになりますが、これは内容が理解できるかどうかとは関係ありません。

内容の理解には興味すらない状態になることが、できる人の特徴です。

本の内容を理解しようとしてはいけない

200ページの本を1冊1分で
読みきれるかどうかが判定基準

ワンミニッツ・リーディング

≠

速読

本の内容を理解しているかどうかが
判定基準

**本の内容を
理解することに
興味すらなくなるのが
ワンミニッツ・リーディング
の真髄**

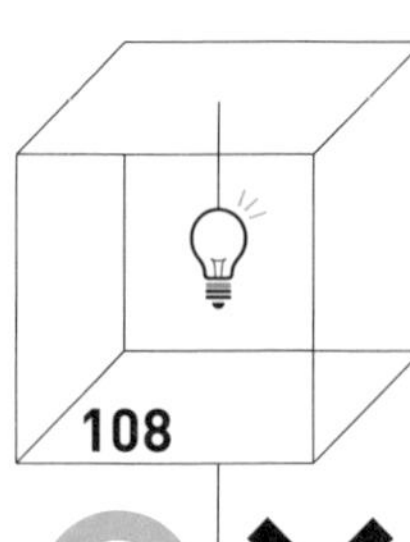

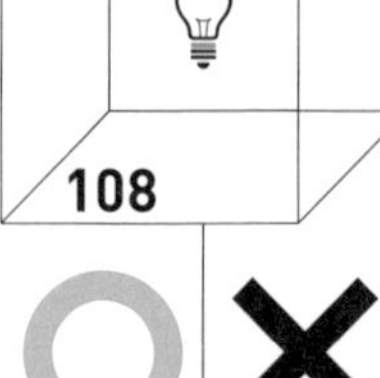

それでも、どうしても理解したい
理解するためではなく、天才になるために読む

天才になるために本を読む

理解するために本を読むのではありません。天才になるために読むのです。

「ページをめくるために本を読む」のがワンミニッツ・リーディングです。

内容を理解しようという気持ちを捨て、見開き０・５秒の世界だけを体感し続けるのが、ワンミニッツ・リーディングです。

「理解したい」を捨てた瞬間、本はあなたのものになるのです。

「どうしても、本の内容を理解したいんです」

と言う人が必ず現れます。

ダメです。

理解は「悪」です。

理解しようという行為は、絶対に絶対にやってはいけません。

本の内容をさっぱり理解しようとしない人が「優秀」で、理解しようとしてしまったら「落ちこぼれ」というのがワンミニッツ・リーディングの世界です。

「じゃあ、なんのために本を読むんだ。理解するためじゃないのか」

と言う人もいるでしょう。

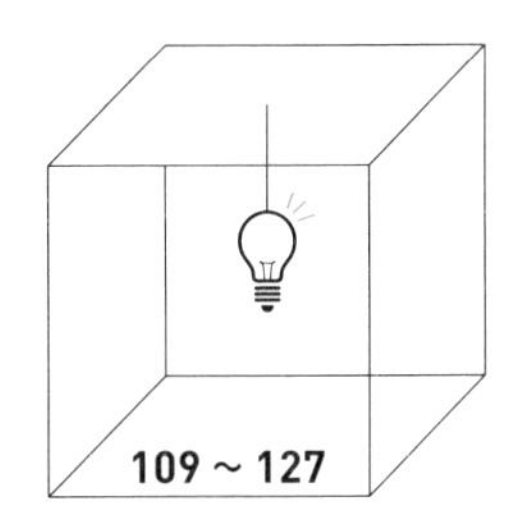

Chapter 6

やってはいけない勉強習慣

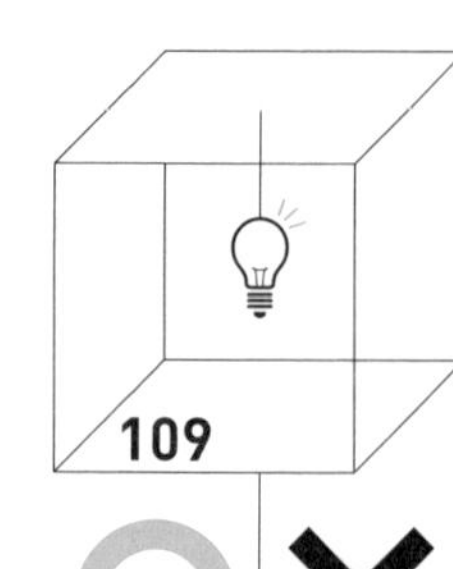

× やっては いけない!

「やっぱり、問題が解けなかった!」と感じる

○ これで 天才に!

「まさか、問題が解けなかった!」と感じる

「まさか」と思える人が合格する

「問題が解ける＝やっぱり」「問題が解けない＝まさか」というのが、天才の頭のなかです。

英単語・英熟語・英文法が完璧で、1日20長文を読んでいるのに、知らない問題が出たら「まさか」と感じるはずです。ほとんど勉強せずに入試本番を迎えて、知らない問題が出たら「やっぱり」と感じるはずです。

「知らない問題が出たら、まさか」と思うくらい勉強量をこなせば、誰でも志望校に合格できるのです。

天才は「できること＝当然」「できないこと＝滅多にないこと」と捉えます。

たとえば好きな男性に告白して、ダメだったときに「やっぱり」と言う人がいます。この場合、「告白してダメな結果＝やっぱり」「告白してうまくいく＝まさか」という図式が脳内にできてしまっています。

もし、男性から告白ばかりされる女性が、自分から告白して断られたら「まさか」と言うはずです。

「告白してダメな結果＝まさか」「告白してうまくいく＝やっぱり」という図式が、脳内でできあがっているからです。

知らない問題が出たら「まさか!」と思え!
「やっぱり」と思うのは
勉強が足りていない証拠!
やっぱりね
知らない
問題が出た!
徹底的に勉強していれば
知らない問題は「まさか!」と思う
知らない
問題が出た!
まさか!

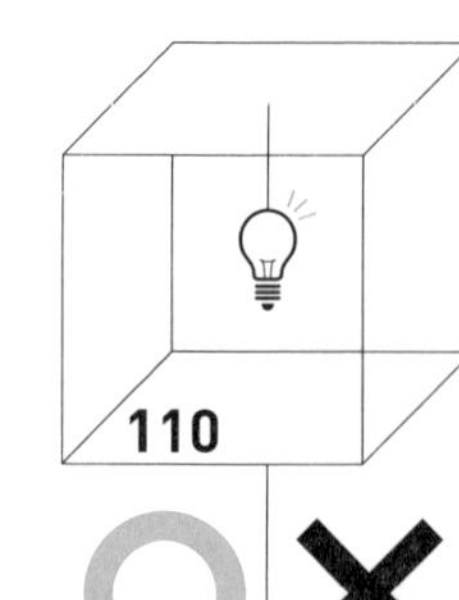

問題が解けなかったら、勉強をやめる

問題を解いたあとに、勉強をやめる

小学校のころ、算数の問題が解けずに、勉強を投げ出してテレビを見たり、おやつを食べた経験はないでしょうか。

そういう人は、勉強が苦手になる人です。「勉強ができない＝快楽（テレビ・おやつなど）」と、脳内で結び付いているからです。

逆に問題が解けたら遊びに行く、ケーキを食べる、という習慣がついていたらどうでしょう。**「勉強ができる＝快楽（遊び・ケーキなど）」と、脳内が結び付きます。**

問題が解けなかった直後に快楽的な行為をすると「勉強ができない自分こそ、素晴らしい」と、脳が勘違いをしてしまうのです。

成果に対してご褒美を与える

どんなに簡単な問題でもいいので**「問題ができたあとに遊ぶ」という習慣をつけることが大切です。**

大人でも「煮詰まった。ここで休憩だ」と言う人がいます。こういう人は仕事ができません。仕事が煮詰まってできなくなることが、快楽になっているからです。

「よし、仕事が終わった！　遊ぶぞ」と言う人は、どんどん仕事ができる人になります。

プラスの行為にご褒美を与える人が仕事も勉強もできる人になっていくのです。

マイナスの行為ではなく、プラスの行為にご褒美を
ぜんぜん問題が解けない
休憩しよう
よし、問題がぜんぶ解けた
遊ぶぞ!

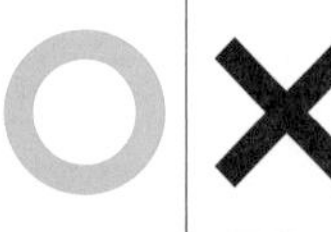

夜12時以降に勉強する

夜12時前には、勉強を終える

日付を越えたら勉強はしない

大切なのは、燃え尽きないことです。中学1～2年で勉強をがんばりすぎて、中学3年で燃え尽きたら意味がありません。

夜遅くまで勉強する人は、燃え尽き症候群になりやすいです。朝早く起きて勉強する人は、朝の勉強は習慣になりやすいので、燃え尽き症候群にはなりにくいのです。

夜12時を越えたら、勉強はしない。翌日のコンディションを整えるために、12時前には寝る習慣をつけるのは、受験という長丁場(ながちょうば)を乗り切るためには不可欠なのです。

「昨日は夜中の2時まで勉強した」と自慢をする人がいます。2時まで勉強すると、睡眠時間が少なくなって翌日に響きます。1日だけ勉強をしても、反動で翌日に勉強をしなくなっては意味がありません。

「月曜日は勉強時間が15時間で、火曜日、水曜日、木曜日、金曜日はゼロ」より、**「1日3時間で5日間続けて勉強をした」**ほうが成績は上がります。

「なかなか机の前に座っていられません」と悩む人は、**机の前でゲームをしたり、机の前でスマホを見て机の前に座る抵抗感をなくせば、机の前に座るのが当たり前になります。**

翌日のコンディションは前日に調整する
まだ12時だ。
まだ勉強するぞ
翌日に悪影響
もう11時だ。
寝よう!
コンディションを整える

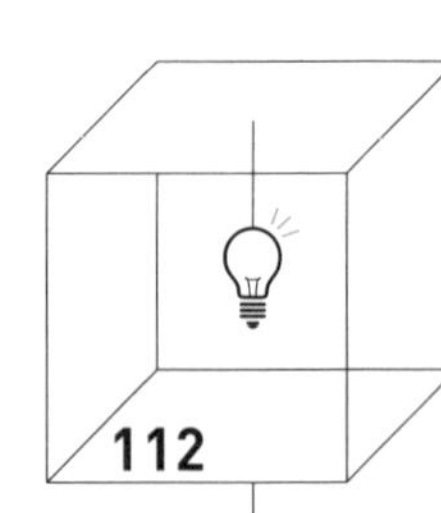

✕ 睡眠時間を削って勉強する

○ 睡眠時間は、7時間～7時間30分取る

睡眠時間を削って勉強する人がいます。

これは**「もう入試まで3ヵ月しかない。いままでまったく勉強したことがない」というシチュエーションの人にとってのみ有効な戦略です。**

長期記憶に落とし込むという作業が必要なく、天才としての勉強も放棄し「ただ、勉強時間だけを増やす」という単純な戦略に特化できるからです。

寝ているときに、短期記憶は長期記憶に落とし込まれます。 睡眠時間が少ないと、せっかく前日に覚えたことを忘れてしまうことになります。睡眠は、体を休めることだけが目的ではありません。「長期記憶に落とし込む」という作業も、寝ている間にしてくれる効果があります。

ベストな睡眠時間とは

では睡眠時間は、何時間がいいのでしょうか。これは、すでに答えが出ていて**「7時間～7時間30分」**です。

医学的にも、もっとも長生きできる睡眠時間だと言われています。

なので**「基本的には7時間睡眠にして、30分寝坊をしてもいいようにしておく」**というのがオススメです。

7時間〜7時間30分の睡眠時間を取る
睡眠中に
短期記憶
長期記憶
太陽が昇る瞬間に目覚めれば
脳がもっとも活性化する
夏は
冬は
朝4時30分
くらい
朝6時50分
くらい

私の受験時代は、7時間15分にして、プラスマイナス15分の幅を持たせました。

起きるのは何時がベストなのか

就寝時間は逆算して決めてみましょう。**5時起きならば、10時に寝る。6時起きならば、11時に寝る。7時起きならば、12時に寝る。**ざっくり言えばこんな感じです。

とはいえ、朝に勉強時間を最低30分は取ったほうがいいので、12時に寝るのは遅すぎです。遅くとも11時30分、できれば11時には寝るようにするのがいいでしょう。

では、起きる時間は何時がいいのか。これもすでに答えが出ています。答えは**「日の出とともに」**です。太陽が昇る瞬間に目覚めることで、もっとも脳が活性化します。

夏は朝4時30分くらい、冬は6時50分くらいになります。

よくないのは「毎朝5時30分に起きるぞ」という目標です。夏の5時30分は簡単ですが、冬の5時30分はつらいです。

なので、**日の出から逆算して7時間前に寝るのがいいでしょう**（『あかつきアラーム』というアプリを使うと、日の出とともにアラームが鳴るようになります。『琴（こと）の音色』という音がオススメです）。

春秋は、10時30分に寝る（5時30分起き）
夏は、9時30分に寝る（4時30分起き）
冬は、11時30分に寝る（6時30分起き）

これが睡眠時間の必勝法です。とくに「午後10時から深夜の2時までの4時間に、成長ホルモンが出る」と言われています。この時間は寝ていたほうが、学生にとっては、よりよい時間の使い方です。

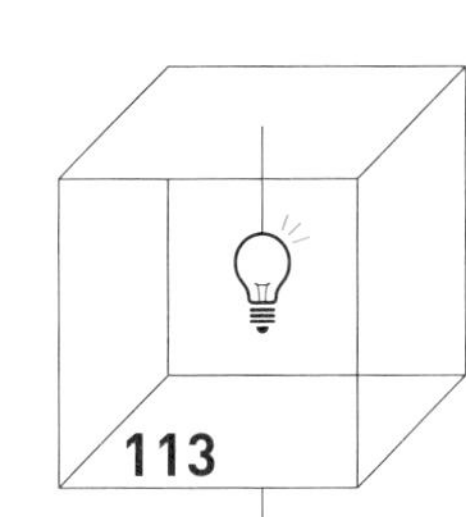

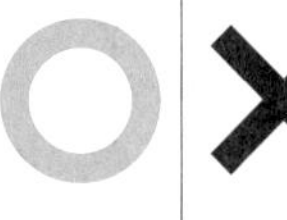

夜型なので、朝は勉強しない

朝は、サンドイッチ記憶法のチャンスだ

「夜型なんです。朝は苦手で……」と言う方が必ずいます。

ダメです。個性は認めません。朝型に生まれ変わる必要があります。

朝の時間は貴重です。もっとも脳が冴える（さ）からです。夜は脳が疲れているので、「瞬間記憶」での暗記ものなど、考えることが少ない教科をするのがいいでしょう。

では、朝は何をしたらいいのか。前日の夜におこなった暗記の復習です。夜、寝る前に暗記をし、起きたあと復習する。私はこれを「サンドイッチ記憶法」と呼んでいます。「暗記、睡眠、暗記」と睡眠をサンドイッチのように挟むからです。

睡眠中、夜に暗記したものが、短期記憶から長期記憶に落とし込まれます。起きた直後に復習をすることで、長期記憶を確実なものへと変えていくのです。

朝の勉強で自己肯定感も上がる

「朝、新しい問題をやるぞ」と、数学に取り組みたい気持ちはわかるのですが、解けなかったら落ち込みます。前日の復習なら成功率は100％です。朝に**「おお、こんなにも覚えているじゃないか」と自己肯定感を上げることで、快適な1日を送ることができます。**

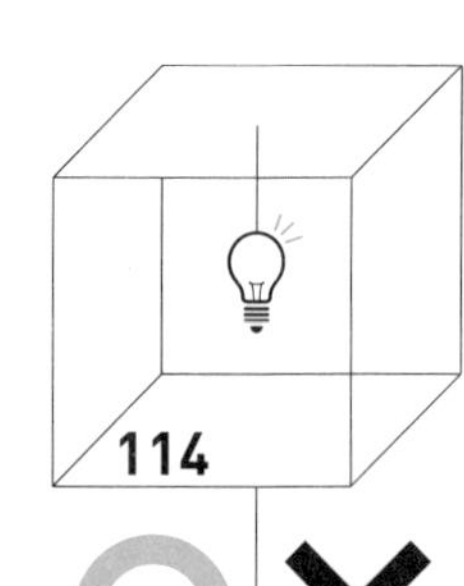

朝も昼も夜も、同じ教科の勉強をする

「1日3分割法」を実践する

脳の疲労度に応じて勉強する

私が中学・高校で嫌だったのは、時間割の都合で午後に数学があったり、1時間目に世界史があったりしたことです。できれば脳の疲労度まで考えてカリキュラムをつくってくれれば……という願いがありました。

漫然（まんぜん）と勉強をするのではなく、脳の疲労度に応じて勉強をするのがもっとも効率的な勉強法です。

「1日3分割法」を踏まえたうえで勉強をすることで、1日の時間の経過も味方につけることができるのです。

「私は英語が苦手だ。だから英語をがんばらなければ」と、朝から晩まで英語を勉強している人がいます。

これはもったいない時間の使い方です。

朝はサンドイッチ記憶法のために暗記ものの復習が効果的です。午前中は脳が活性化しているので、考える作業である数学に適しています。

午後は少し脳が疲れてきているので、英語・国語といった言語ものをします。夜は脳がかなり疲れているので、何も考えず、どんどん暗記をする時間に費やします。日本史・世界史などの暗記教科に使いましょう。

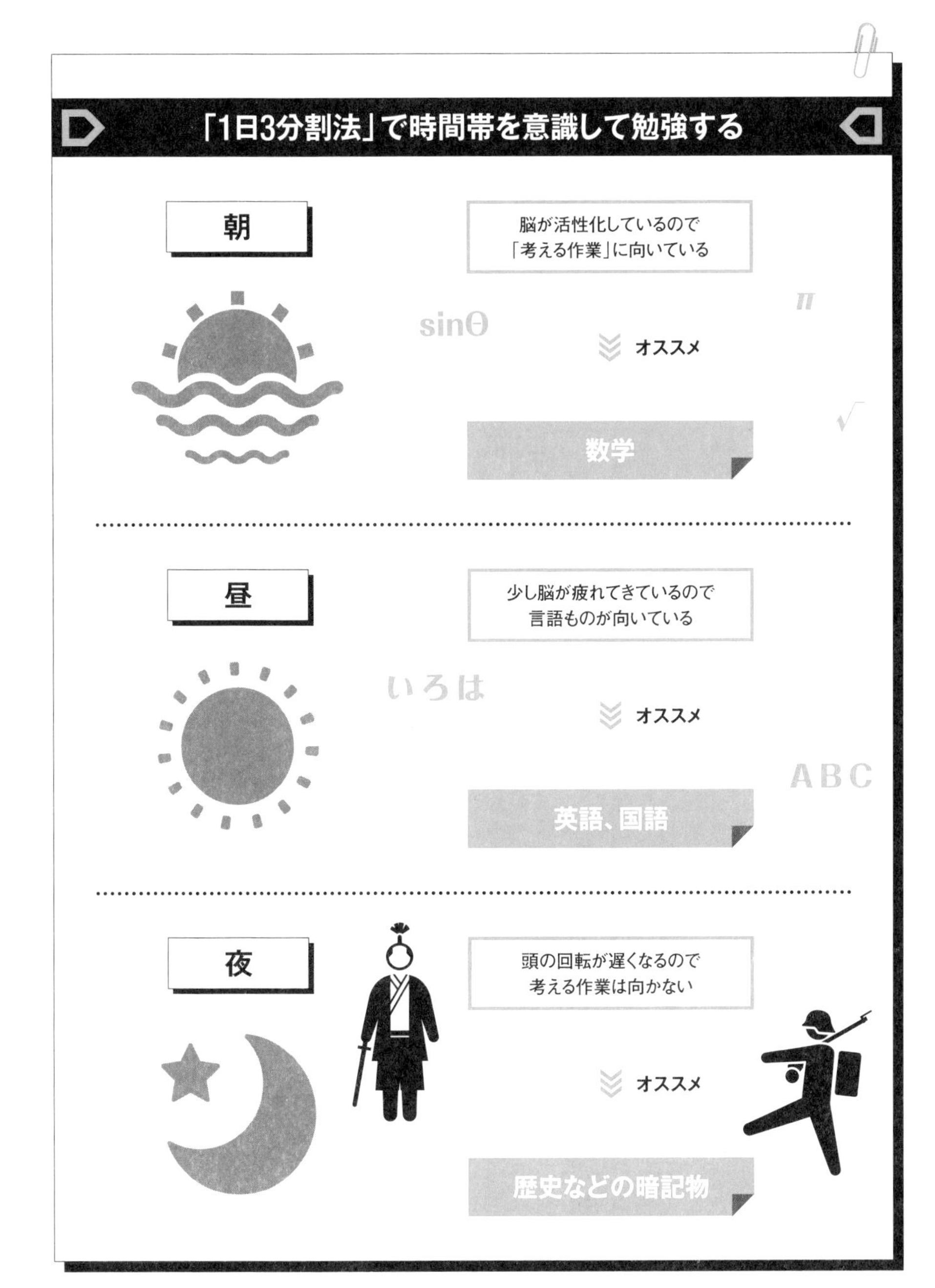
「1日3分割法」で時間帯を意識して勉強する
朝
脳が活性化しているので
「考える作業」に向いている
sinΘ
π
オススメ
数学
昼
少し脳が疲れてきているので
言語ものが向いている
いろは
オススメ
ABC
英語、国語
夜
頭の回転が遅くなるので
考える作業は向かない
オススメ
歴史などの暗記物

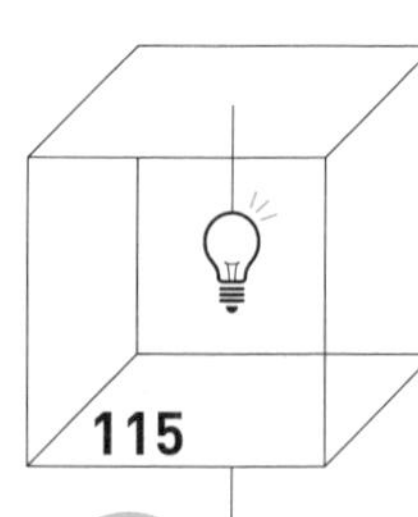

✕ 入試3ヵ月前になってから勉強法に取り組む

○ 中学2年・高校2年の段階で勉強法はマスターしておく

私が提唱している勉強法には弱点があります。それは天才になるための時間、すなわち**「瞬間記憶」をマスターするために最低でも3ヵ月かかる**ということです。

しかも、最低でも3ヵ月とは「私は天才になれる」と無条件で信じる人にとっては3ヵ月というだけです。「私には無理だ」「どうせ私なんて」というネガティブな思考回路の人は、6ヵ月～1年以上かかっても瞬間記憶はマスターできないかもしれません。

「私は天才だ」と思い込んで、1単語1秒で英単語を暗記することで、瞬間記憶は身についていきます。それでもやはり3ヵ月という時間は必要です。

なので「入試まで3ヵ月しかない」という人には、この本の内容は「知らなければよかった」ということばかりかもしれません。

勉強についての唯一のウルトラC

そもそも勉強は、長期戦略を練って取り組むものです。大学入試では、小学校1年生から名門塾に通い、中学・高校と勉強にすべてを捧げてきた人と戦うのですから「3ヵ月でなんとかなりませんか?」というのは、勉強を舐めているとしか言いようがありません。

「野球をやったことがないんですけど、3ヵ

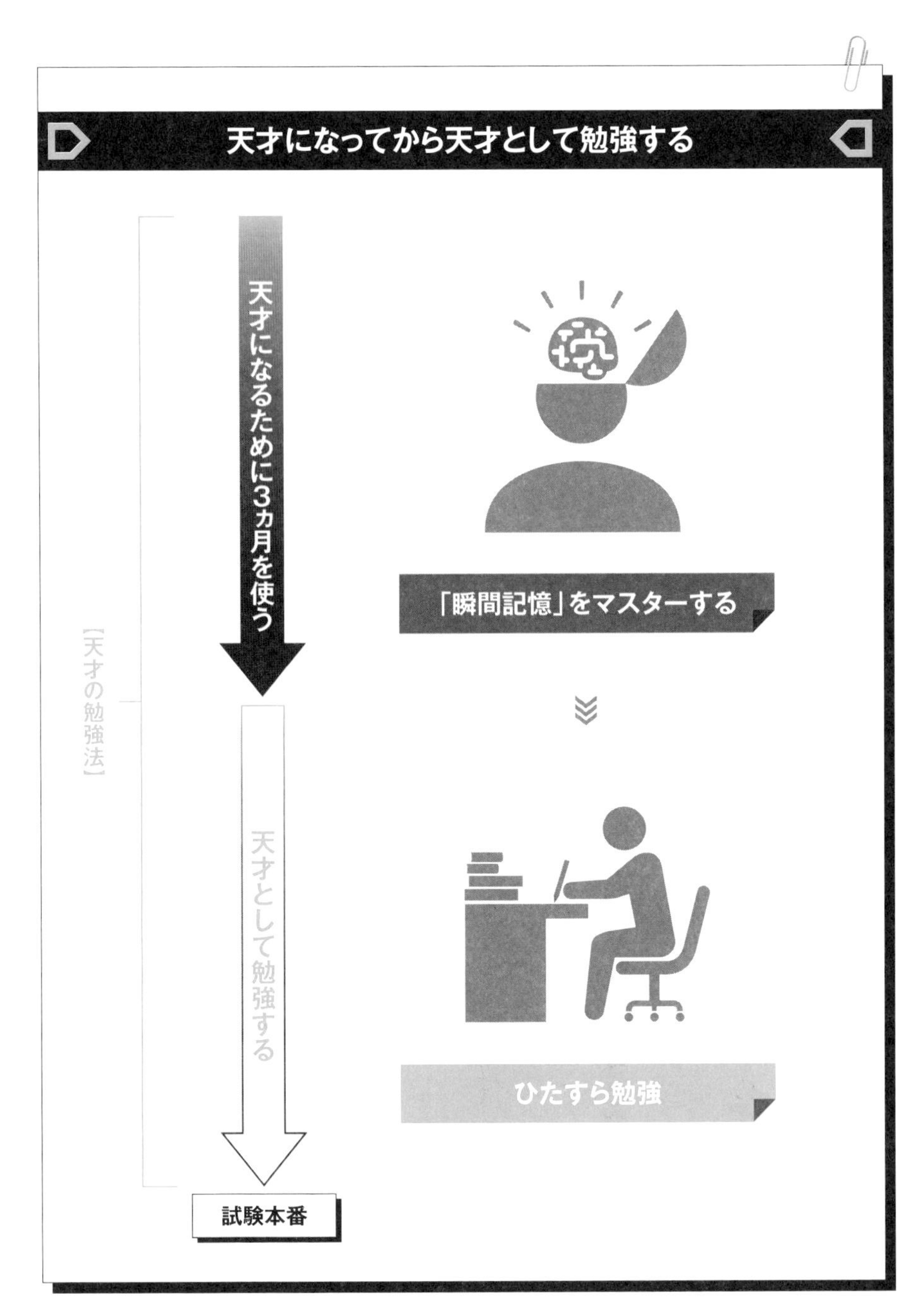
天才になってから天才として勉強する
天才になるために3ヵ月を使う
【天才の勉強法】
天才として勉強する
試験本番
「瞬間記憶」をマスターする
ひたすら勉強

月でプロになれますか？」というのと変わりません。運動なら無理だとわかっているはずなのに、勉強にはウルトラCが存在するように期待してしまうわけです。

勉強のウルトラCは「瞬間記憶をマスターすること」以外にありません。ですが習得には最低3ヵ月かかります。新しい方法論をマスターするわけですから仕方ありません。

入試まで3ヵ月を切っている場合は？

入試まで3ヵ月しかない人は「勉強法のことは一切考えずに、ひたすら勉強時間を増やす」のが正解です。ごちゃごちゃ「いい勉強法はないか」と考えている暇があったら、1分でも多く勉強をしたほうがいいです。

なので、睡眠時間を削って勉強するという、この本に書いてあることとは逆の方法論のほうがいいでしょう。

あと3ヵ月しかない時点で勉強をゼロから始めるなら、天才としての勉強法を捨て「最強の凡人」を目指すほうが合格の可能性は上がります。

まずは天才になる

「この本と、ほかの勉強法の本のいいとこ取りをしよう」と言う人がいます。

ダメです。「コーラもコーヒーもオレンジジュースも美味(おい)しいので、混ぜます！」と言っているようなものです。

天才の勉強法は、天才にとってもっともいい勉強法ですが、逆に凡人には最悪な勉強法です。「私は凡人だ。凡人としてこの本と真逆のことをやるぞ」というのも1つの正解ですし、**「天才になって、この本の通りに勉強をしよう」**というのも正解です。どちらの山を登るかは、あなたが決めていいのです。

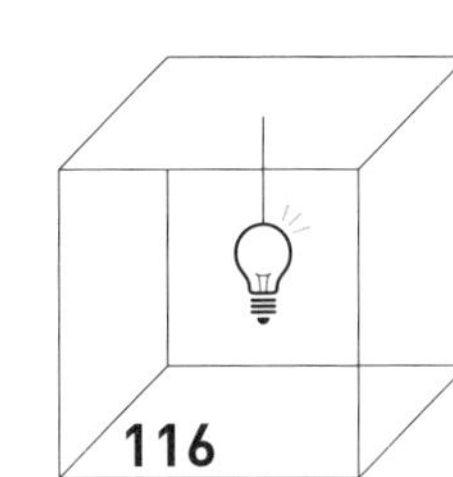

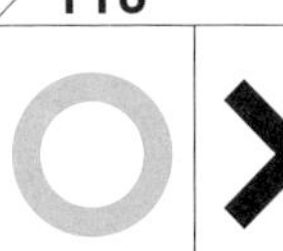

やってはいけない! 全教科の成績を、同時に上げようとする

これで天才に! 入試本番から逆算して、成績を順番に上げていく

試験科目には、忘れにくい科目と忘れやすい科目があります。

数学は論理性が強いため、忘れにくい科目です。「1＋1＝2」というのは、小学1年生のときに覚えて、高校3年生になっても忘れません。

小論文も、一度書き方がわかれば忘れません。

国語は、現代文に関しては、一度解き方が身につけば忘れませんが、古文に関しては、暗記ものなので忘れやすいです。

漢文は、漢詩は韻（いん）を踏むというルールがあったりしますが、覚えることは少ないので、古文よりは論理性があります。

国語を勉強する際には、**「小論文→現代文→漢文→古文」**の順番に取り掛かるのが、効率がいいです。

高校1年で小論文と現代文は高得点が取れるようにしておいて、高校2年で漢文と古文を勉強していくのが効率的な流れです。

数学も、高校1年から始めて高校2年のときには、すべての単元をマスターしているくらいになっておいたほうが有利です。

入試から逆算して勉強する

日本史・世界史・地理といった科目を高校

1年のときに覚えても、入試本番のときには忘れてしまうだけです。

高1、高2のときには歴史マンガを使って、日本史アレルギー、世界史アレルギーをなくすことに専念しましょう。

そして高校3年から本格的に暗記をしていったほうが、入試本番では得点が取りやすいです。

英語は高3の夏までに

英語も、高校3年の夏までには偏差値70に上げておいたほうが、秋以降に日本史・世界史に時間を費やせます。

入試本番から逆算して、各教科の成績を上げていくのが、受験戦略なのです。

忘れにくいものから先に覚える

	国語	数学	日本史 世界史 地理	英語
高1	小論文 現代文	高2までに すべての単元を マスター	マンガ等で アレルギーを なくす	高3の夏までに 完璧に しておく
高2	漢文 古文	↓	↓	↓
高3	-	過去問 演習	本格的に 暗記	↓

やってはいけない!

模試で偏差値70を目指す

これで天才に!

本番の試験のときだけ、偏差値70を目指す

「入試の当日においてのみ高得点が取れればいい。それまでは、すべて準備に過ぎない」と考えるのです。

実体験から編み出した手法

私の友人で、模試の成績は偏差値30だったのに、本番の入試で早稲田に合格した人がいました。

一方、私は全国模試1位でしたが、本番の入試ではどこにも合格できませんでした。

悲しみのどん底で、研究に研究を重ねてたどり着いた答えが、「ピークコントロール」なのです。

「模試の成績はよかったが、本番で落ちた」

こういう人がいます。かくいう私が、その1人です。全国模試1位にもかかわらず、試験本番に弱く、落ちました。

浪人した私は、「どうしたら勝負強くなれるのか」を徹底的に研究し、入試本番で結果を残すための方法論を編み出しました。それが**「ピークコントロール」**という手法です。

「入試本番に学力のピークを持っていく」というのが「ピークコントロール」です。

「模試の成績で偏差値30でも、入試の当日に偏差値70ならばそれでいい」

という考え方です。

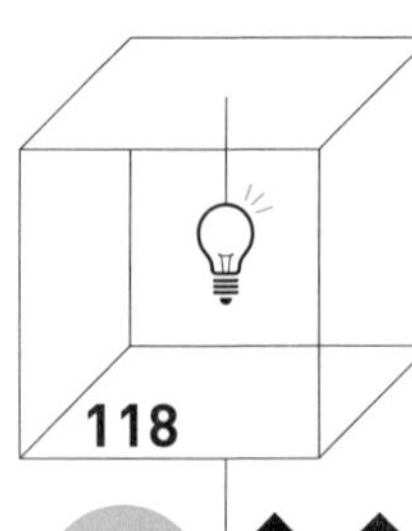

成績がよければ、入試本番で合格できると思っている

勝負強い人が、入試本番で合格できると思っている

試験は勝負ごとです。勉強さえできれば勝てるものではありません。

偏差値70の人でも、当日に風邪をひいて頭がボーっとすれば、得点が下がることもあります。たまたま入試本番で、知らない問題ばかりが出題されることもあります。

逆に偏差値30でもヤマカンが大爆発し、適当に選択肢に○をつけたら、すべて正解することもあります。

普段の学力だけで単純に合否が決まるのではなく、試験本番における得点だけで合否が決まるのが、入試です。

元々のＩＱが高い人が合格するのであれば、小学校のＩＱテストを参考にして、入試はしなくてもいいことになります。つまり普段どれだけ勉強してきたかに加えて、「勝負強さ」が、重要なポイントになるのです。

受験は勝負である

多くの受験生は、漠然と勉強だけをして、勝負強さを鍛える訓練をしていません。

とはいえ、ギャンブルをして勝負勘を鍛えろと言っているわけではありません。**受験を勝負ごとの一種だと捉え、勝負に勝つために、日々の勉強のスケジュールを立てることが、大切なのです。**

合格･不合格を分けるのは学力だけではない
不合格……
体調不良
たまたま知らない
問題ばかり出た
偏差値70の人
合格!
ヤマカンが
大当たり
偏差値30の人
試験では「勝負強さ」も大事なポイント

×やってはいけない！

高校1年で、地理・歴史を勉強する

○これで天才に！

高校1年で、小論文・現代文を勉強する

高校3年生でやるべきこととは

高3で、地理・歴史の勉強をします。暗記科目を高1でやってしまうと、復習の時間が無駄になってしまうので、高3まではじっと我慢するのがベストです。勉強スケジュールの優先順位は次のとおりです。

- **優先順位1位……一度身につけたら、2年後も忘れない教科**
- **優先順位2位……論理性が強く、忘れにくい教科**
- **優先順位3位……暗記科目で、忘れやすい教科**

「ピークコントロール」のためには、全体の勉強スケジュールを立てる必要があります。

大学入試の場合を考えてみましょう。全体スケジュールとしては、こうします。

高1で、小論文・現代文の勉強をします。一度身につけたら、2年後も実力が変わらないのが、この2つです。

高1〜高2で、論理性が強く、忘れにくい教科の勉強をします。数学・物理は高1〜高2からスタートしましょう。数学は小論文・現代文と並行して、早い段階から取り掛かるのがいいです。論理性が強いものは復習したときに思い出しやすいからです。

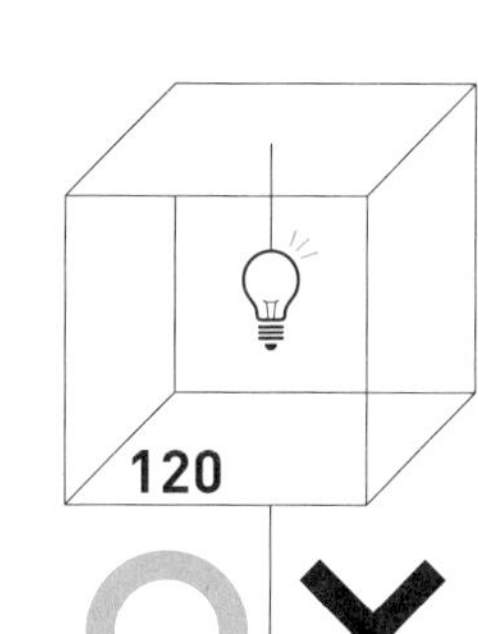

×やってはいけない!

1日に3教科以上の勉強をする

○これで天才に!

1日に2教科の勉強をする

勉強は、1日2教科にする

人がやる気をなくすのは、「次にやることの選択肢が2つ以上ある状態」です。次にやることの選択肢が1つしかないときには、人はやる気を失いません。

恋人にフラれて落ち込んでいても、「駅まで歩こう」と決めた瞬間に、歩くという行動は止まりません。

ならば、「1日に2教科の勉強をする」のがベストです。「今日は英語と数学だ」と決めます。

英語に飽きたら数学をし、数学が嫌で逃げ

「今日は、英語と数学と理科をやろう」と、1日に3教科以上を勉強する人がいます。

これが、やってはいけない勉強法です。

「次はどの勉強をしようか」と迷う時間が1秒以上発生するからです。

英語の勉強が終わった後に、

「数学を勉強しよう。いや、理科のほうが偏差値は低いから、理科の勉強をしたほうがいいのではないか？　でも、数学のほうがテストは近いぞ」

と迷ってしまいます。**迷った挙句（あげく）、やる気がなくなり、「もう勉強はやめてテレビを観よう」となってしまうのです。**

たくなったら英語に逃げます。

英語を勉強していて限界を感じたら数学をすれば、いつの間にか、集中したまま1日が終わるのです。

同じ教科で2つに分けてもOK

「1日に2つのことだけをする」これを**「ツーインワンメソッド」**と呼んでいます。つねに2つのことだけを目標にしていれば、集中が持続し、勉強を継続できます。

もちろん、同じ教科のなかで2つでも大丈夫です。「今日は英単語と英熟語をやろう」でもいいです。

今日は、「空間図形と因数分解をやろう」でも構いません。今日は、「江戸時代と年表の暗記をしよう」でもOKです。

1日に2つのことだけをするのが、1日の勉強の必勝法なのです。

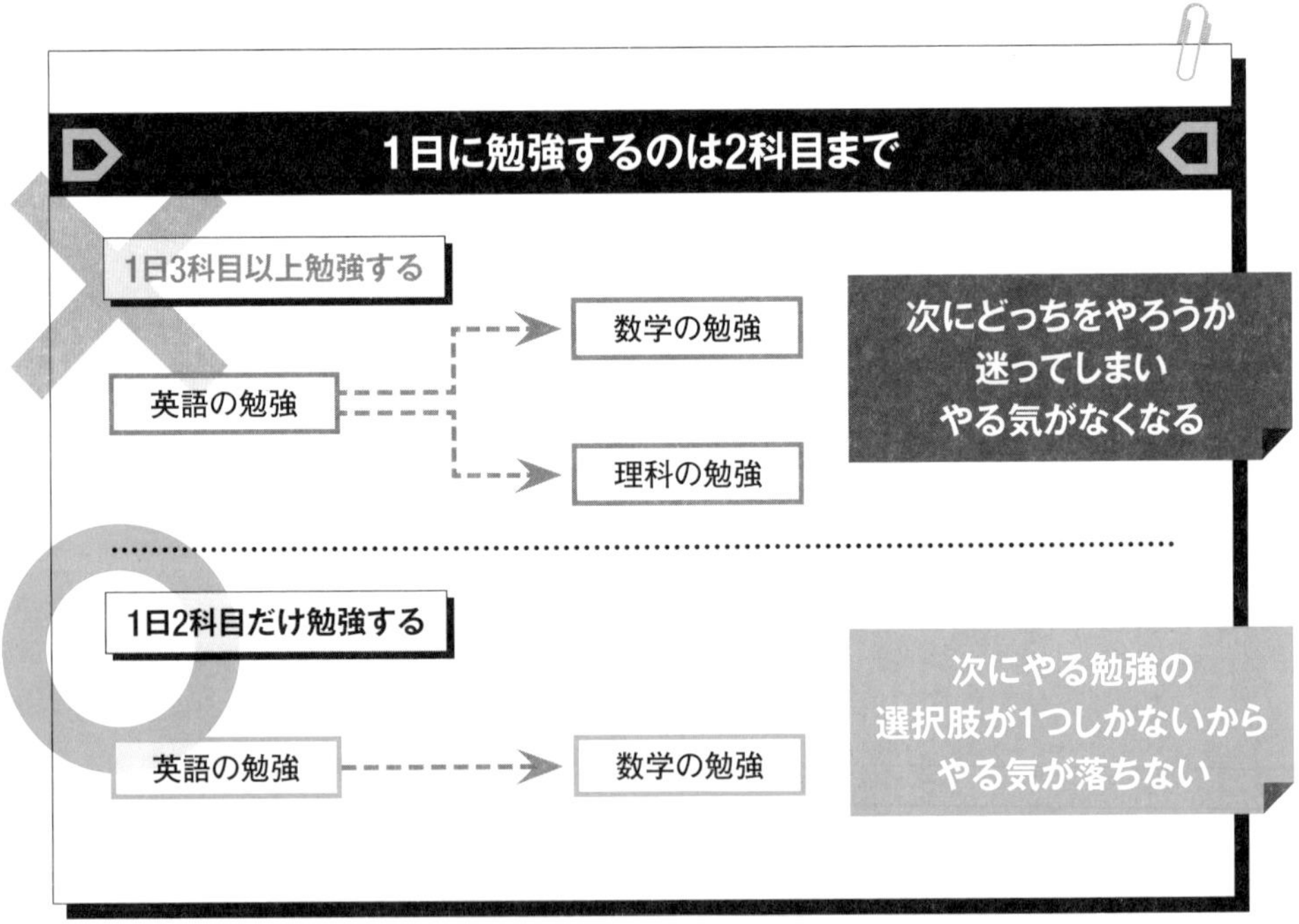

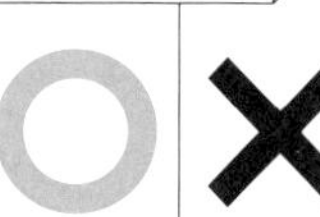

1日にやるべきスケジュールを、均等に立てる

1日にやるべきスケジュールで、メインとバックアップを決める

「今日は英語を2時間、数学を2時間やろう」と、勉強時間を均等に割り振ってスケジュールを立てる人がいます。

これも、やってはいけない勉強法です。勉強が終わったときに達成感がないからです。**「がんばって勉強したぞ」という達成感も味わったほうが、毎日の活力になります。**

メイン教科とバックアップ教科

そのためにはメインとバックアップを決めることが大切です。心理学では、**人格にはメインとバックアップがあると言われます。**通常はメイン人格で、たまにバックアップ人格が顔を出します。普段はポジティブな人格で、「遊びに行こう！」「いいよ！」という人でも、「ゲテモノ料理を食べに行こう！」と言われたら、「いや、それはちょっと……」というネガティブな人格が現れるはずです。

いつもはネガティブな人格で「美味しいものを食べに行こう」「嫌です」と言っていても、「アイドルのコンサートに行かない？」「それなら、絶対に行く！」というポジティブな人格が現れることもあります。

これを勉強にも応用するのです。**1日に勉強する教科のなかで、メインとバックアップを決めるわけです。**

たとえば「今日はメインが英語で、バックアップが数学」と決めます。

これで、基本的には英語の勉強をして、飽きたり、逃げたくなったら数学をすることができます。

ポジティブな人格にメインの勉強をさせ、逃げたくなったときに、ネガティブな人格にバックアップの勉強をさせるのです。

メインとバックアップの比率

メインとバックアップで「8：2」の時間配分が理想です。

人間の集中力の持続時間は90分なので、**「英語90分」に「休憩＋数学22分」というサイクルがオススメです。**

メインとバックアップを決めて、毎日を過ごすことで、1日の勉強効率は最大化されていくのです。

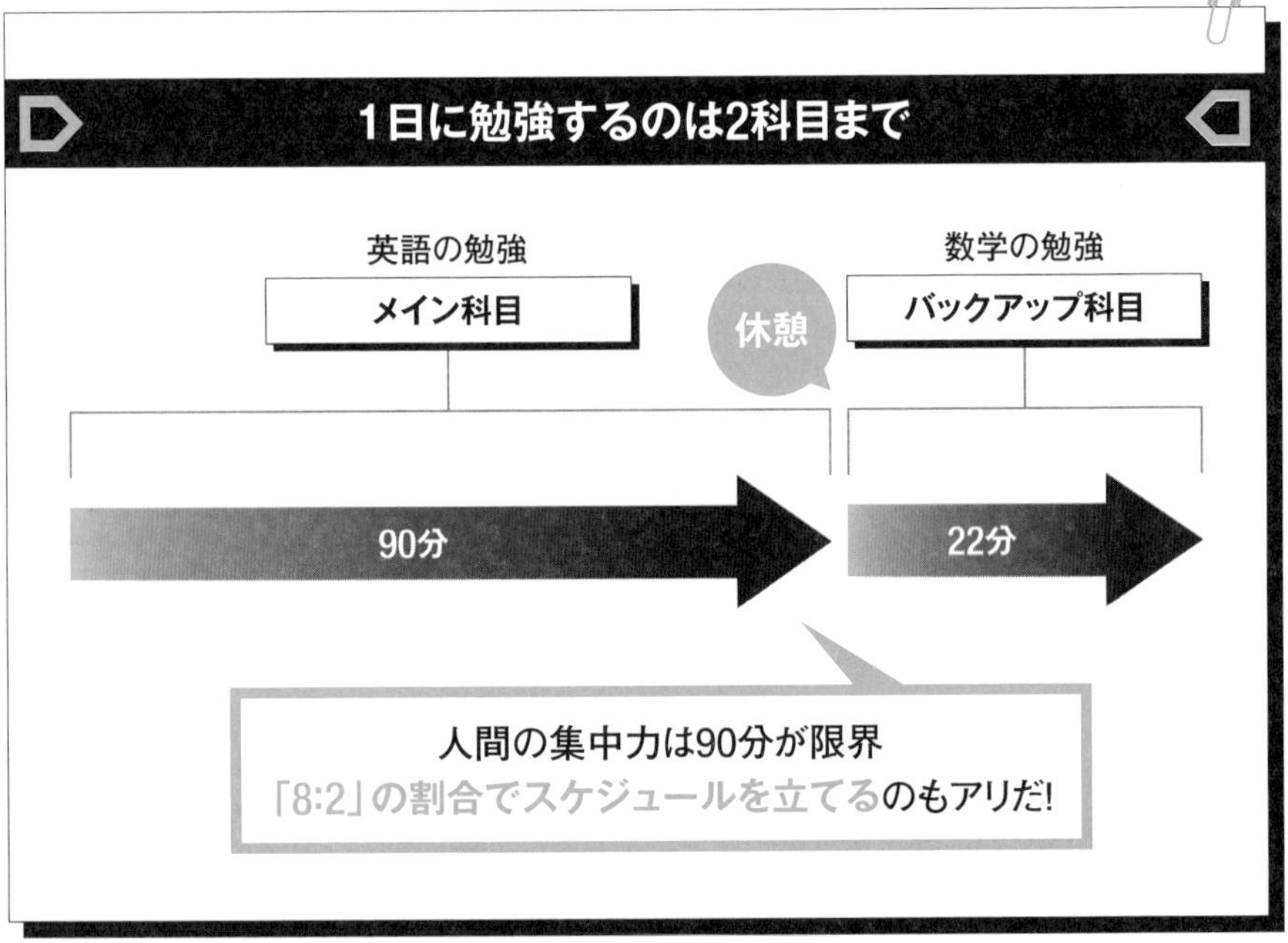

1日に勉強するのは2科目まで

英語の勉強		数学の勉強
メイン科目	休憩	バックアップ科目
90分		22分

人間の集中力は90分が限界
「8:2」の割合でスケジュールを立てるのもアリだ!

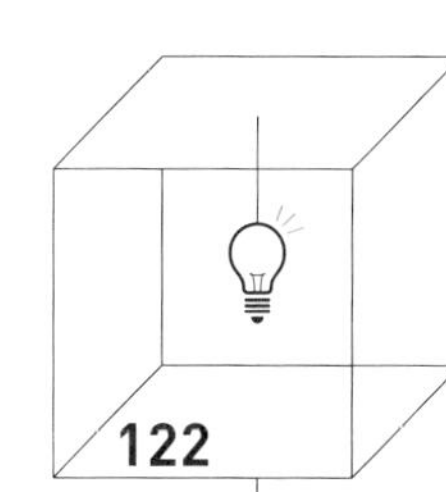

入試直前に、わからない問題をやる

入試直前に、緑・黄の問題をやる

「入試直前で不安だ。わからない問題をどんどんこなさなければ」

と言う人がいます。

入試直前に、わからない問題に手をつけるのは、やってはいけない勉強法です。

未知のものに取り掛かるのは労力がかかりすぎるので、時間効率が悪いからです。

赤と緑をチェックする

こういうときは、初心に戻りましょう。

たとえば、英単語なら、赤のものはすでに0秒でわかるようになっているはずですが、**赤のもののなかで、緑に降格させるものがあるか確かめ、あれば、緑に降格させます。**

その後、緑のものを赤に昇格させていく作業をして、時間があれば黄色のものを緑に昇格させていきましょう。

緑になったら、また赤に昇格させるようにしていきましょう。

ギリギリのときこそ優先順位が大事

青の英単語（見たことも聞いたこともない英単語）は、捨てます。

青を捨てたとしても、時間が足りないくらいです。

それでも時間が足りなければ、黄色を緑に

昇格させる作業を捨てましょう。

こうやって、優先順位を決めて勉強をすることで、試験本番の英語の得点も、最大化できるのです。

試験直前にやるべきこと

また、**試験直前の10分は、英語長文を手元に置いて、1行1秒でなぞりましょう。**

この作業をすることで、脳がフル回転し、試験が始まったときにトップスピードで問題を解くことができます。

試験直前の10分を使って、左手の人差し指で、1行1秒でなぞることで、本番の長文問題も1行1秒で読めるようになっているはずです。

かつて、「打撃の神様」と呼ばれた読売巨人軍の川上哲治さんは、「ボールが止まって見えた」と言います。

同じように、**この作業をしてから試験にのぞむことで、時間の流れが変わります。**

ほかの人が焦って問題を解いているのに対して、自分だけ止まっている時間のなかで問題を解いている感覚になることができるのです。

模試のときに試しておく

「時間の流れが変わるなんて、そんなこと信じられない」

という方は、模試のときに練習としてやってみてください。

効果が体感できるはずです。

試験当日は、英熟語を見直す。

試験直前10分前は、英語長文を指でなぞる。

こう決めておくだけで、本番で実力以上の力が発揮できるのです。

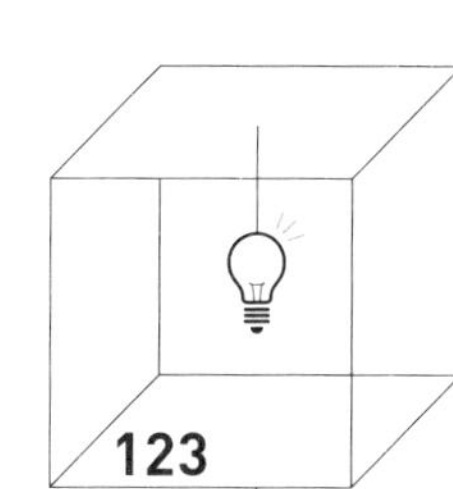

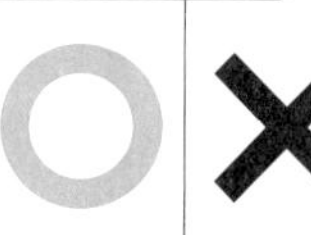

運を天に任せる
試験当日の朝も見直しをする

「試験本番だ。運を天に任せよう。人事を尽くして天命を待つのだ」と言う人がいます。

やってはいけません。

試験当日の朝に復習したことが試験に出ることは多いのですから、試験当日の朝まで、悪あがきをすべきです。

運を天に任せるのは、テストが終わった瞬間であって、それまでは1秒たりとも無駄にしてはいけないのです。

英語の場合は「英熟語」が重要

では、試験当日の朝にすべきことは何か。

英語なら**「英熟語の見直し」**です。英単語の見直しではなく、英文法の見直しでもなく、英熟語の見直しです。知っているだけで得点に直結しやすく、配点も高いからです。

英語の試験の前に英単語帳を開いている人がいますが、あまり意味がありません。得点に直結しないからです。

英熟語は、知っているか知らないかで一番差がつきやすいです。知っていれば、そのまま4点、長文問題のなかで使われていたり、並び替え問題で使われていれば、6点になることもあります。

英文法は論理性が高いので、試験中にウンウンとうなれば、思い出すこともあります。

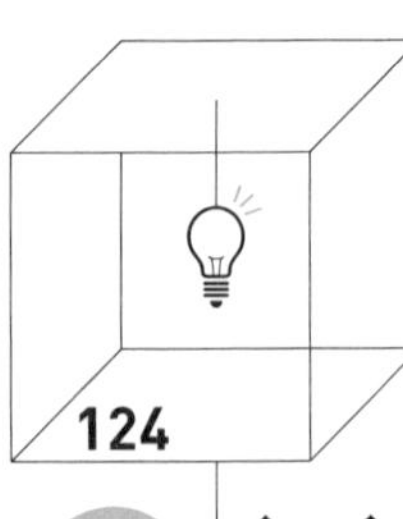

124

×やってはいけない!

時間配分を決めずに、問題を解き始める

○これで天才に!

10分のバッファタイムをつくってから、問題を解き始める

「バッファ」は「余裕」という意味です。**試験中にパニックにならないためには、最初から余裕を持っていればいいのです。**

試験時間が90分だとしたら、80分が制限時間だと思ってやります。10分余裕を持っておけば、見直しもできますし、心に余裕が生まれます。

問1から問10まであれば、問1は5分、問2は10分、問5は15分などと、時間を割り振ってから問題を解き始めるのです。**もちろん、10分の余裕を持って時間配分を決めます。**

「どうしよう! 時間がなくなった!」という経験は、誰しもあるはずです。

にもかかわらず、次回の試験から対策をしないという人が多すぎるわけです。

絶対に10分の余裕をもって取り組む

たまたま時間内に終わればいいですが、時間配分を間違えただけで、いままでの成果がゼロになるのはもったいないです。

確実に合格するために、10分の余裕を持って、時間配分をしてから問題を解き始めましょう。

パニックを防ぐ状態をつくってから、問題に取り掛かるのが、試験本番では大切なのです。

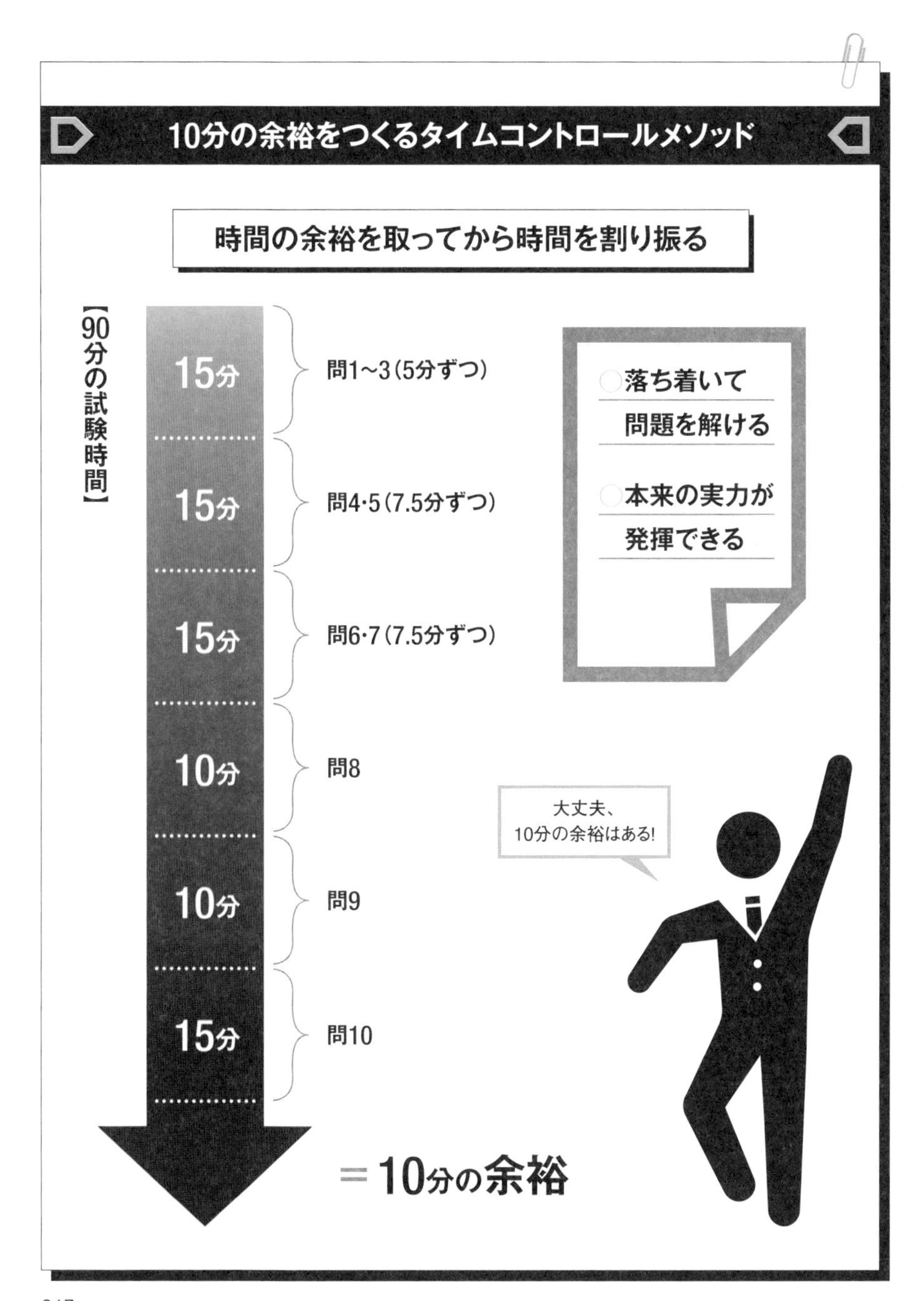

10分の余裕をつくるタイムコントロールメソッド
時間の余裕を取ってから時間を割り振る
【90分の試験時間】
15分
問1～3（5分ずつ）
15分
問4・5（7.5分ずつ）
15分
問6・7（7.5分ずつ）
10分
問8
10分
問9
15分
問10
＝10分の余裕
落ち着いて
問題を解ける
本来の実力が
発揮できる
大丈夫、
10分の余裕はある！

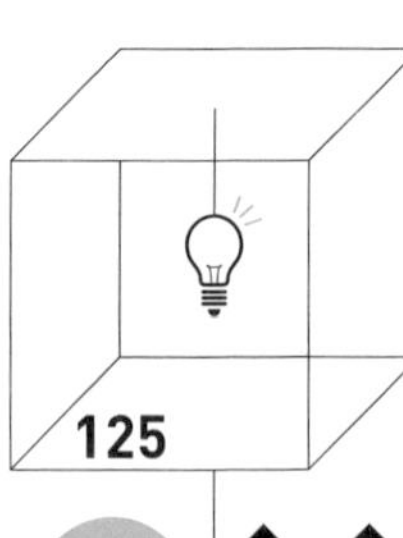

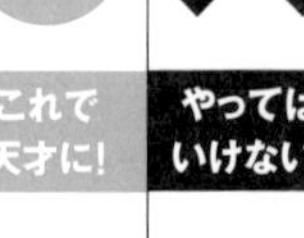

安心したいので、わかる問題から解く

太陽を背にして戦うために、時間がかかりそうな問題から解く

「わかる問題から解きたい。そのほうが安心だ」と言う人がいます。

やってはいけません。わかる問題は、パニックになってもわかる問題だからです。

「いまはわかるが、10分後には忘れていそうだぞ」という問題を先に解くべきです。

英語は長文から解くのが正解

英語なら「長文問題から解く」のがルールです。なぜなら、

・長文問題……時間がかかる／1問1問連続している／パニックになると解けなくなる／配点が高い

・文法問題……時間がかからない／1問1問独立している／パニックになっても解ける／配点が低い

という特徴があるからです。

パニックになっても解ける問題

「あと10分しかない！」という状態で、長文問題が残っているのと、文法問題が残っているのとでは、心の余裕が違います。

配点が高い長文問題が残っていれば、パニックになって問題が解けず、大量に得点を失います。

1点を争う大学受験では、これだけで不合

格になる可能性が高いでしょう。**文法問題が残っている状態であれば、パニックになっても、猛スピードで解くことができます。**

猛スピードで解答しても、じっくり考えて解答しても、ほとんど結果が変わらないのが文法問題だからです。

太陽を背にして戦う

宮本武蔵は、太陽を背にして戦ったと言われています。

戦っている最中に、太陽が目に入るとパニックになります。

最初から太陽を背にして戦えば、パニックにはならないのです。

英語の試験においては、「時間がかかりそうな問題」「パニックになると解けなくなる問題」から取り掛かるのが、太陽を背にして戦うということなのです。

試験はパニックになりそうな問題から手をつける

例）英語の試験だったら……

【長文問題】

- 時間がかかる
- 1問1問連続している
- パニックになると解けなくなる
- 配点が高い

【文法問題】

- 時間がかからない
- 1問1問独立している
- パニックになっても解ける
- 配点が低い

パニックにならないよう、
太陽を背にして戦うべし

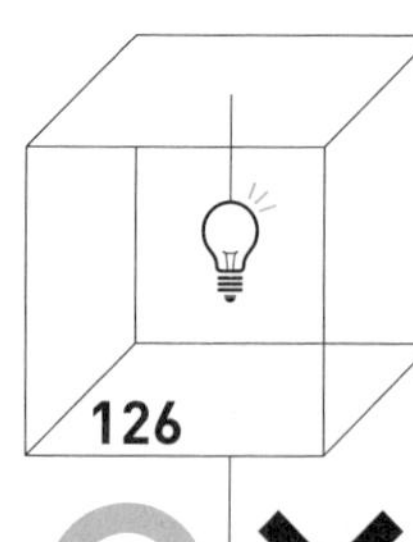

やってはいけない!

時間が余ったので、問1から順番に見直しをする

これで天才に!

優先順位の印をつけて、見直しをする

見直しの時間を10分取って、予定通りに10分の時間が残ったとします。そのとき、問1から順番に最初から見直す人がいます。

ダメです。時間がもったいないです。**あらかじめ、見直すことを前提に問題を解く必要があります。**

問題を解くときに、次のように4つの印をつけておきます。

「×」…絶対に正解なので二度と見直さない

「△」…たぶん正解だが、少し自信がないので見直そう

「?」…時間をかければわかりそうだ。あとで考え直そう

「?・?」…さっぱりわからない。「△」と「?」の見直しのあと、時間が余ったらチャレンジしよう

見直す順番は、「△」→「?」→「?・?」です。

本当は4色の蛍光ペンを使いたいですが、試験本番なので4つの印で代用します。

まず「△」の問題を見直します。その後「?」の問題を見直し、じっくり考えます。時間が余ったら「?・?」の問題を見直します。

こうすることで、見直しの時間も、最大限効率化できるのです。

見直すことを考えながら問題を解く

**問題を解きながら、それぞれ、
次のような記号を書き込んでおく**

絶対に正解なので二度と見直さない

たぶん正解だが、
少し自信がないので見直そう

時間をかければわかりそうだ。
あとで考え直そう

さっぱりわからない。
「△」と「?」の見直しのあと、
時間が余ったらチャレンジしよう

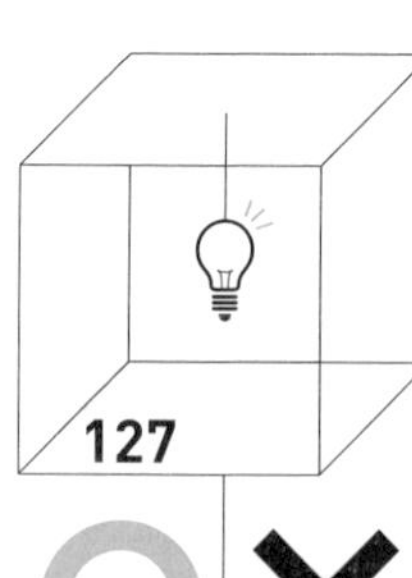

試験問題を解き終わって、疲れたから寝る

試験最後の1分間まで、すべきことがわかっている

「やった、解き終わったぞ。まだ3分余っているな。疲れたから寝よう」と、試験終了間際に寝ている人がいます。

「勝って兜(かぶと)の緒を締めよ」という言葉がありますが、**人生がかかっている試験なのですから、全問正解だという自負があったとしても、3回でも4回でも見直しをして当然です。**

「×」「△」「?-」「?-?-」の4種類をつけておくのは、試験最後の1分間まで、やるべきことの優先順位を決めておくためです。

もちろん「×」の問題を見直すのは時間の無駄ですので、やらなくて大丈夫です。

「△」「?-」の見直しが終わったら、試験最後の1分間は「?-?」の問題を解きます。

試験終了まで全力を尽くす

坂本龍馬が、

「死ぬときはドブのなかでも、前のめりに死んでいたい」

という言葉を残していますが、わからない問題である**「?-?」の問題を見返しながら、試験終了の合図を迎えるのが、理想の姿です。**

坂本龍馬のように、ドブのなかでも前のめりに倒れながら試験終了を迎えた人が、試験本番で120%の力を出し切れる人なのです。

試験は最後の1秒まで全力で取り組む
全部やりきった
時間が余ったから寝よう
最後の1秒まで前のめりになって
見直しをやるぞ

【石井貴士の主な著作一覧】

KADOKAWA
『本当に頭がよくなる1分間勉強法』
『本当に頭がよくなる1分間勉強法』文庫版
『[カラー版]本当に頭がよくなる1分間勉強法』
『[図解]本当に頭がよくなる1分間勉強法』
『本当に頭がよくなる1分間英語勉強法』
『1分間英単語1600』
『CD付1分間英単語1600』
『1分間英熟語1400』
『CD2枚付　1分間TOEIC®テスト英単語』
『CD付1分間東大英単語1200』
『CD付1分間早稲田英単語1200』
『CD付1分間慶應英単語1200』
『CD付1分間英会話360』
『成功する人がもっている7つの力』
『あなたの能力をもっと引き出す1分間集中法』
『文才がある人に生まれ変わる1分間文章術』

講談社
『キンドル・アンリミテッドの衝撃』

秀和システム
『アナカツっ!～女子アナ就職カツドウ～』
『1分間情報収集法』
『いつでもどこでも「すぐやる人」になれる1分間やる気回復術』
『会社をやめると、道はひらく』
『定時に帰って最高の結果を出す1分間仕事術』
『あなたも「人気講師」になれる!1分間セミナー講師デビュー法』
『女子アナに内定する技術』
『彼氏ができる人の話し方の秘密』

水王舎
『1分間英文法600』
『1分間高校受験英単語1200』
『1分間日本史1200』
『1分間世界史1200』
『1分間古文単語240』
『1分間古典文法180』
『1分間数学I・A180』
『新課程対応版　1分間数学I・A180』

フォレスト出版
『1分間速読法』
『人は誰でも候補者になれる!
～政党から公認をもらって国会議員に立候補する方法』
『あなたの時間はもっと増える!1分間時間術』

SBクリエイティブ
『本当に頭がよくなる1分間記憶法』
『本当に頭がよくなる1分間ノート術』
『一瞬で人生が変わる!1分間決断法』
『本当に頭がよくなる1分間読書法』
『どんな相手でも会話に困らない1分間雑談法』
『本当に頭がよくなる1分間アイデア法』
『図解 本当に頭がよくなる1分間記憶法』

学研プラス
『1分間で一生が変わる 賢人の言葉』
『幸せなプチリタイヤという生き方』

宝島社
『入社1年目の1分間復活法』

パブラボ
『お金持ちになる方法を学ぶ 1分間金言集60』
『石井貴士の1分間易入門』
『はじめての易タロット』

サンマーク出版
『勉強のススメ』

徳間書店
『30日で億万長者になる方法』

実業之日本社
『オキテ破りの就職活動』
『就職内定勉強法』

ゴマブックス
『何もしないで月50万円!幸せにプチリタイヤする方法』
『マンガ版 何もしないで月50万円!幸せにプチリタイヤする方法』
『何もしないで月50万円!なぜあの人はプチリタイヤできているのか?』
『図解 何もしないで月50万円!幸せにプチリタイヤする方法』
『何もしないで月50万円!幸せにプチリタイヤするための手帳術』

ヒカルランド
『あなたが幸せになれば、世界が幸せになる』

ヨシモトブックス
『本当に頭がよくなる1分間勉強法 高校受験編』
『本当に頭がよくなる1分間勉強法 大学受験編』
『勝てる場所を見つけ勝ち続ける 1分間ブランディング』

リンダパブリッシャーズ
『マンガでわかる1分間勉強法』

きずな出版
『イヤなことを1分間で忘れる技術』
『「人前が苦手」が1分間でなくなる技術』
『やってはいけない勉強法』
『図解 やってはいけない勉強法』
『やってはいけない英語勉強法』
『やってはいけない暗記術』
『マンガでわかりやすい やってはいけない勉強法』
『やってはいけない読書術』

すばる舎
『入社1年目から差がついていた!
仕事ができる人の「集中」する習慣とコツ』

青春出版社
『最小の努力で最大の結果が出る1分間小論文』

かんき出版
『天職を見つけてお金持ちになる 1億円勉強法』

【著者プロフィール】

石井貴士（いしい・たかし）

1973年愛知県名古屋市生まれ。私立海城高校卒。
代々木ゼミナール模試全国1位、Z会慶應大学模試全国1位を獲得し、慶應義塾大学経済学部に合格。1997年、信越放送アナウンス部入社。2003年、（株）ココロ・シンデレラを起業。日本メンタルヘルス協会で心理カウンセラー資格を取得。『本当に頭がよくなる 1分間勉強法』（KADOKAWA）は57万部を突破し、年間ベストセラー1位を獲得（2009年 ビジネス書 日販調べ）。現在、著作は合計で87冊。累計200万部を突破するベストセラー作家になっている。

「1分間勉強法 石井貴士 人生は変えられるブログ」
https://www.1study.jp
「石井貴士 公式サイト」
https://www.kokorocinderella.com

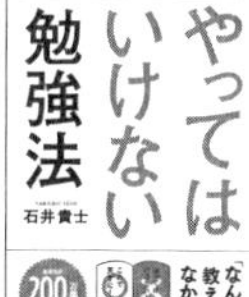

本書はきずな出版から刊行した単行本『やってはいけない勉強法』『やってはいけない英語勉強法』『やってはいけない暗記術』『やってはいけない読書術』を再編集・図解化したものです。上記の書籍もぜひご覧ください。

【ビジュアル完全版】やってはいけない勉強法

2020年12月1日　初版発行

著者　石井貴士

発行者　櫻井秀勲
発行所　きずな出版
東京都新宿区白銀町1-13　〒162-0816
https://www.kizuna-pub.jp
印刷・製本　モリモト印刷

ISBN978-4-86663-127-1